R. VACA DEL CORRAL.

¡SOY PURO... MEXICANO!

LIBRO PRIMERO

LAS CONCIENCIAS OLVIDADAS

6º EDICIÓN

B. COSTA-AMIC, EDITOR

MÉXICO, D. F.

Derechos reservados conforme a la ley
B. Costa-Amic editor
Calle Mesones 14 — México 1, D. F.
Miembro de la Cámara Nacional de
la Industria Editorial. Registro Nº 313
ISBN 968-400-018-9

IMPRESO EN MÉXICO / PRINTED IN MEXICO

R. Vaca del Corral

¡SOY PURO... MEXICANO!

1ª edición, julio 10 de 1976
2ª edición, agosto 15 de 1976
3ª edición, octubre 20 de 1976
4ª edición, diciembre 20 de 1976
5ª edición, abril 25 de 1977
6ª edición, enero 30 de 1978

NOTA DEL EDITOR

Queremos participar nuestro agradecimiento al público lector mexicano, que ha dado tan excelente acogida a esta obrita que, entre bromas y veras, ha ido proclamando, una edición tras otra, verdades como catedrales.

Las carencias del mexicano han encontrado eco en las páginas de este no por jocoso menos contundente libro. Y a través de las carencias se asoma, entre línea y línea, la ilusión y la necesidad que clama, a grandes gritos, por un México mejor.

Al llegar a la sexta edición, en poco más de un año, de esta publicación tan singular, podemos anunciar ya el "Libro segundo" de ¡SOY PURO MEXICANO! que nuestro distinguido y solemne autor, señor R. Vaca del Corral, está preparando a marchas forzadas.

Y ni qué decir que para ese Segundo Libro, ya en proceso, auguramos el mismo éxito de público lector —y de venta, naturalmente— que ha tenido el libro que usted, estimado amigo, tiene entre sus manos.

Como siempre que un texto presenta ataques políticos, el editor declina lealmente, la responsabilidad moral de los mismos para no interferir en la exposición del pensamiento del escritor. Y así puede suceder en la presente obra.

Gracias a todos.

B. C.-A.

México, D. F., enero de 1978

IN MEMORIAM

¡Aquí yaces y haces bien...!
¡Descansas tú, y yo también!

[Epitafio del sexenio pasado]

PRÓLOGO

ES DIFICIL atreverse a escribir un libro cuando no hay una experiencia previa que nos respalde y, sobre todo, una cultura amplia. Pero dejar que la vida transcurra sin decir lo que se piensa, sin contar lo que se ve y sin expresar lo que se siente, ha hecho —a mi juicio— que las cosas sean en este país, como son.

¿Qué cómo son? ¡Francamente incomprensibles! Para mí por lo menos. Por un lado, existe el México de los líderes charros, de los políticos abusivos, demagogos y deshonestos; el México de los burócratas irresponsables y majaderos; el de comerciantes voraces y banqueros abusivos; el de trabajadores explotados y campesinos irredentos. Por el otro, está el México "oficialista"; el paraíso de las libertades y garantías individuales; el de la prensa veraz y libre; el de honrados funcionarios y cumplidos burócratas; el de eficientes servicios públicos; el de los buenos gobiernos, heredados de la Revolución y que siempre se han preocupado por el bienestar del pueblo.

Por mi parte, vivo en el México que trabaja y que para mí, al menos, es una extraña mezcla de los dos Méxicos anteriores. Vivo en el país de los que nos abstenemos de votar porque nos asquean los métodos electorales y porque no confiamos en ellos; en el México que se ha convertido en una mayoría silenciosa y ausente en los comicios; en el que no *se atreve uno a protestar por miedo a ser calificado de anti-patriota y traidor, y de ser castigado como tal, con tormentos que "no existen" pero que sé que duelen, ofenden, humillan y a veces matan.*

Vivo pues en el país de los que no trabajamos en la administración pública, ni pertenecemos a partido político alguno. En el país que no comparten ni los líderes obreros, ni los políticos, ni los Concamines o Concanacos. En una palabra: vivo en el México olvidado y que está poblado por casi 60 millones de gentes que, como yo, tienen las conciencias vacías.

1

LA LEY DE RESPONSABILIDADES

> Lo más malo del capital, es que no
> lo tenemos nosotros.
>
> OPINIÓN PERSONAL

ESTE no es un libro, al menos en la forma en que siempre he considerado los libros. Para mí, un libro es algo bello, instructivo y casi sagrado. Desde pequeño me ha gustado leer mucho.

—Lee, muchacho, lee —decía mi madre, santa mujer, según los más tradicionales cánones de nosotros los mexicanos, acomplejados y fanfarrones. La verdad, creo que a mi madre le faltó carácter para ponerle un hasta aquí a los abusos de mi padre. Resultado: me crié sin padre, como tantos mexicanos lo hemos hecho a través de los siglos. Menos mal que ahora hay la campaña de "Paternidad Responsable": ¡Tenga los hijos! ¡Mantenga los hijos! ¡Eduque los hijos! ¡Tus hijos también necesitan escuelas, servicios públicos, etc., etc.! Caray, lo malo es que estas campañas no hacen responsable a nadie. Lo que hace responsable a la gente, creo yo, es el ejemplo. Menos mal que el actual presidente no tiene tantos hijos como el anterior, porque pues la verdad... de ver, dan ganas.

Bueno, me pasó lo de siempre. Empiezo a hablar y termino divagando, igualito que muchos políticos. ¿Será cosa atávica del mexicano el no ser concreto?

Como les decía, éste no es un libro; no contiene mensaje alguno, no podría contenerlo.

—"Pa' enseñar hay que saber" —dice mi compadre Chuy— y la verdad yo no sé. Tampoco soy un ignorante, fui a la Universidad. Aunque hice lo que miles y miles han hecho por generaciones: Nada. No estudié. No aproveché el dinero bien sudado de otros que, como yo ahora, pagaron sus impuestos religiosamente porque no les quedaba más remedio. Ellos pertenecían a lo que en el argot contabilista se llama "causantes cautivos". Y qué cierto es. Me siento preso. Por abajo me empujan las mayorías, los pobres, que cada día son más, y por encima me exprimen los comerciantes, los fabricantes, los banqueros y el gobierno. ¿Cómo había de sentirme?

Y ya que estamos hablando de responsabilidades: ¿Qué pasa con la tan mentada ley de responsabilidades de los funcionarios públicos? De vez en cuando salen por ahí con que se le va a aplicar a alguien gordo. Pero —digo yo— esto es imposible. ¿A poco no duele más el pellejo que la camisa? ¿Cómo van a castigar a alguien de la "gran familia revolucionaria" y que ha cometido un "pecadillo" insignificante comparado con los "grandes servicios prestados a la nación"? Además, si yo fuera el castigado, de puro coraje soltaría la lengua y tendrían que matarme.

Esa ley es, como tantas otras en nuestro país, "para taparle el ojo al macho"; para poder presumir ante propios y extraños de lo prevenidos que somos. Tenemos la ley por si acaso se presenta el delito. Pero sexenios van y sexenios vienen y no se presenta. ¿Cómo no han de hablar de honradez administrativa? Si no ha habido aplicación de la ley, el delito no existe. Sencillo, ¿verdad?

¡Pues yo no lo entiendo! No cabe duda que nací bruto y así me voy a morir.

¡Bueno! Me pasó otra vez. Como les iba diciendo:

¿Quién no ha soñado alguna vez con escribir lo que piensa? Lo malo es que muchas veces uno escribe sin pensar. Porque, ¿de dónde me salió a mí la idea de que sería fácil moralizar la administración pública?

He descubierto con los años que si uno quiere mejorar, lo primero que tiene que hacer es reconocer los errores. Se dice fácil. Todavía me acuerdo de la bronca en que se metió mi mujer cuando me dijo que yo era un desconsiderado. El grito que pegué y el pescozón que le di todavía me duelen muy fuerte, aquí en el fondo del corazón. Me duele ahora porque he cambiado. No me dolió entonces, porque yo pensaba que no era lo que ella me decía.

Por eso sé que para enfrentarse con los problemas de gobernar a un país como el nuestro, lo primero que hay que hacer es reconocer los errores. Y el más grande error de los gobiernos que nos han mandado ha sido éste: ¡La corrupción!

¿Qué pasa si enferma la cabeza? Se enferma todo el cuerpo. Y eso somos: Un cuerpo enfermo, cabeza, brazos, pies y todo lo demás.

Pero si la cabeza —entiéndase el gobierno, y entiéndase por gobierno no sólo al Presidente, sino a todos los servidores públicos— sigue diciendo que no estamos enfermos de corrupción, o aunque lo reconozcan como ahora, pero sigan sin castigar a los funcionarios públicos deshonestos, ¿cuándo vamos a quitárnosla de encima? A propósito, ¿por qué dan en autollamarse "servidores públicos", si la mayoría no sirve para nada? En fin, esas cosas no las comprende un ignorante como yo.

Decía yo al principio, que éste no es un libro en el sentido estricto de la palabra. Son más bien páginas sueltas —sin ninguna relación entre sí— que he escrito en ratos en que me siento que no puedo más, a veces porque he tenido que hacer un trámite en alguna oficina pública. Pero no en la de pasaportes de la Secretaría de Relaciones Exteriores. ¡No, señor! Ahí sí que trabajan y duro. Cuando he ido allá me siento feliz a pesar de las interminables colas. Atención, rapidez, educación y eficiencia. A veces pienso que lo que quieren es que nos vayamos haciendo menos, facilitándonos los trámites para sacar el pasaporte y nos quedemos fuera del país. No lo creo, porque no es práctico.

¿Cuándo se desharían de los campesinos sin tierra y de los obreros sin trabajo que no tienen para comer, mucho menos para sacar un pasaporte? Vaya, yo creo que ni acta de nacimiento tienen los pobres. Lo único que sí tienen es voto, y ni lo usan.

Otras veces escribo cuando leo los periódicos o cuando oigo una noticia en la tele y esa noticia me hace pensar y sacar mis conclusiones. Ya les dije, soy ignorante, pero no tarugo. También soy cobarde y por eso no hablo, mejor escribo. Total, escribo para mí, porque no creo que a nadie le interese lo que escribo y nadie va a querer publicar esto. No importa, siempre he pensado que las tonterías hacen menos daño fuera de la cabeza, que dentro de ella. Por eso las echo al aire, porque trato de no atarantarme más.

2

UN DOMINGO CUALQUIERA

> ¿Qué quiénes formamos el México
> de las conciencias olvidadas? ¡Tú! ¡Yo!
> ¡Todos!
>
> Yo

A VECES me da por el deporte de leer los periódicos. Posiblemente te extrañará que al leer los periódicos le llame deporte. La mera verdad es que quizá para ti no lo sea. Para mí, sí. La razón es muy sencilla: termino cansado de tanto reírme. Para mejor ilustrarte, te contaré lo que leí hoy en la mañana, en una, para mí, habitual mañana de domingo —único día de la semana en que no tengo flojera matutina— y día en que para evitar desavenencias conyugales, me bajo a la salita de la tele, me acuesto en el sofá y me pongo a leer los periódicos, generalmente de ocho a diez de la mañana. Para mí, dos horas de ejercicio a la semana son suficientes. Bueno, basta de cotorreo y al grano.

Este es el primer titular que me llamó la atención.

"Los senadores reconocen en la Seguridad Social una positiva conquista Mexicana." Ya en el cuerpo de la información: "Representante del Estado de Guanajuato y miembros de las comisiones del Seguro Social, se pronunciaron porque una de las conquistas más positivas que tiene el México moderno es la Seguridad Social."

Dios me libre de negar lo anterior, pero: ¿Por qué en México son los funcionarios públicos directamente interesados, los únicos que elogian este tipo de cosas? Al principio me daba coraje, ahora me da risa. Para mí, estos cebollazos equivaldrían a que yo elogiase "la sabia decisión de haber elegido a mi tía Avelina como la Flor Más Bella del Ejido", y que el presidente del jurado hubiera sido yo mismo. Aunque tal vez la razón verdadera estribe en el hecho de que tanto el senador de Guanajuato como la comisión nunca hayan necesitado los servicios de la institución que representan. Si lo han hecho, estoy seguro de que no han recibido la misma atención que yo y miles de afiliados. Definitivamente sigo pensando que yo vivo en el otro México: el desconocido de los demagogos oficialistas, lejos muy lejos, en el México de las conciencias olvidadas.

Otro titular: "Moya: Ahora a analizar a los siete 'Destapados'. Otro de los señalados afirmó que el 'destapamiento' lo consideran un avance. 'Porque como quiera que sea, están siendo analizadas a la luz pública personas que de una manera u otro han sido mencionadas como posibles candidatos del P.R.I.' "

Hace unos pocos días en todos los periódicos, el Presidente y muchos de sus acólitos, a través de diversos medios, han estado afirmando que el "tapadismo" no existe. Ahora este señor dice que el "destapamiento" es un avance. Definitivamente creo que los únicos tapados que sí existen son los habitantes del otro México: los que han hecho de la política un sucio negocio personal y desde luego muchas casas en las Lomas, el Pedregal, Contreras, San Jerónimo, etc., etc. Y creo que sería más saludable el "destapamiento" de todos ellos, que el del próximo Presidente de la República. Porque en eso de las elecciones ya sabemos que: el único que va a ganar, es el pueblo mexicano. No importa que el sesenta por ciento de la población que sí trabaja, no vote.

Ahora que estoy hablando con ustedes de esto, no sé por qué se me vino a la mente el recuerdo de una de las frases que el ex secretario de Hacienda, hoy día ya Presidente, dijo por tele el otro día cuando andaban todos hechos bolas tratando de explicar que no era cierto que planeaban un nuevo impuesto, que sí era cierto que estaban planeando. Dijo el entonces Secretario de Hacienda: "Es temerario hablar de corrupción"; esto refiriéndose a los —según ellos— rumores de corrupción en la administración pública. Como ya les confesé, soy una persona inculta, así que me fui al tumbaburros y leí: Temerario: inconsiderado, imprudente y que se expone y arroja a los peligros sin meditado examen de ellos.

¡Cuánta razón tiene! Hoy que lo he estado meditando y tomando en cuenta las mil y una policías y sus humanitarios sistemas de represión e interrogatorio, reconozco que es temerario quien habla o escribe en México acerca de la corrupción en el gobierno.

3

LA VERDADERA LOTERÍA NACIONAL

> ¡Ni modo, mano! ¡En ésta no nos
> tocó, a ver si en la próxima!
>
> LAMENTO SEXENAL

CON TANTO como se han estado analizando los problemas de México, a últimas fechas leo ávidamente las secciones políticas de los periódicos a los que estoy suscrito. Es por eso que hoy, en vez de escribir, me concretaré a copiar lo que me interesó mucho y, desde luego, a sacar mis propias conclusiones:

"Los hombres de bien han dejado la política en manos de los hombres que no son de bien." ¡Zácatelas! A este hombre habría que levantarle un monumento más grande que el de los Niños Héroes. Pero lo que va a suceder es que o lo ignoran, o lo destruyan políticamente, tachándolo de reaccionario, vende-patrias o satanizador, como suele decir el entonces tapado y ahora nuevo mesías de la política nacional, cada vez que oye algo que no es de su agrado.

Pero la pelota hay que jugarla a fondo; si no, no se anota gol. ¿Por qué los hombres de bien han dejado la política en manos de los que no son de bien?

Yo creo que por miedo, cansancio, asco y muchas otras cosas más. Por lo que a mí toca, preferiría sentir la vergüenza de tener una hija trabajando en un burdel, que un hijo políticamente encumbrado. En el primer caso mi hija, la demás gente y yo, sabríamos lo que era y ni modo de ocultarlo. En el segundo, cubierto bajo el manto de la pureza, honradez y el sacrificio por su pueblo, mi hijo viviría —y no precisamente del sudor de su frente— como el más rico de los explotadores de la empresa privada a la que ahora tanto combaten. ¿Acaso usted ha visto algún funcionario, de cualquier categoría, viviendo austeramente como lo hacen los campesinos tlaxcaltecas por pura necesidad? ¿Quién de nosotros no conocemos a uno de esos funcionarios? ¿Que por qué se sostienen en el poder? Porque al haber corrompido la conciencia política del pueblo mexicano, nos han hecho admirarlos, envidiarlos y temerlos.

—¿Te acuerdas de Juan?

—Sí. ¿Por qué?

—¿Te acuerdas cómo andaba de amolado?

—¡Sí, mano, a mí me debe cien pesos!

—Pues agárrate, mano, su cuñado lo metió a la Secretaría de... y ahora habías de ver. ¡Hasta vive en el Pedregal!

—¡Hijos, mano! ¡Qué suerte!

Este diálogo que oí en alguna parte, ni merece comentarios. La política es para el mexicano como una lotería, no a todos les toca y el que tiene la suerte de sacársela, tiene derecho al premio. Así de sencillo.

Mire usted si hay derecho. En el mismo periódico leí:

"Si el pueblo nos requiere para representarlo ante el Congreso local, estamos dispuestos a acudir con la mente y el corazón puestos en el imperativo de servirlo. Dedicaremos todo nuestro esfuerzo a unificarlo y sin rencores y sin discordias."

¡Jijos de la fregada! Si a esa palabrería sosa, hueca e inútil no se le llama demagogia y cantinflerismo, yo soy Vicente Guerrero.

¿Por qué no hacemos lo que sugirió Platón para su país utópico? (Esto lo leí también hoy).

"Dionisio, el joven tirano de Siracusa, llamó al ateniense para que introdujera reformas en el gobierno de la ciudad, y Platón intentó implantar el Estado Perfecto, en el cual los ciudadanos serían escogidos para los cargos de dirección después de pasar complicadas y difíciles eliminatorias; *los más inteligentes continuarían estudiando* hasta cumplir los cincuenta años y se convertirían en gobernantes, *viviendo en comunidad, austeramente, sin ventajas y prebendas personales.*"

¡Aquí le paro! "Viviendo en comunidad, austeramente, sin ventajas." Igualito que todos los gobernantes y funcionarios post-revolucionarios, ¿verdad? Y si no lo han hecho así, ¿de qué se asombran al ver que ha empezado a brotar la violencia política en nuestro país? De nada vale que a los inconformes les llamen "vulgares delincuentes". Pa' mí, los vulgares delincuentes son otros, pero mi opinión no cuenta. A mí, como a todo el pueblo mexicano, me han vaciado la conciencia política. Somos la manada que necesitan para justificar su existencia. Pero que no la chinguen, que no me pidan que vote; que sigan sin nosotros. Al cabo ni nos toman en cuenta; al cabo ni somos peligrosos.

A lo más, somos eunucos políticos y los eunucos han perdido su virilidad; aquella virilidad que empujó a los Madero, a los Carranza, a los Zapata y a los Villa. Y luego andamos presumiendo de muy machos. ¿Machos? Más bien lo que somos, es muchos. Pero muchos y muy pendejos.

4

DECLARACIÓN DE BIENES

> Yo las únicas declaraciones que ha-
> go, son las de amor, mi cuate.
>
> [FUNCIONARIO PÚBLICO MEXICANO]

A VECES, cuando alguien con los mismos complejos míos me echa el carro encima, o me mienta la madre porque no lo dejo pasar en su carro del año, o del año del caldo, también me pongo a escribir, aunque entonces no sé qué decir.

Tampoco sé qué decir cuando veo a esas turbas de estudiantes, con sus risotadas y vulgaridades, viajando gratis en el metro, o saqueando los camiones de refrescos; o cuando veo padres de familia peleando y emborrachándose, o juniors en Mustang en la zona rosa estorbando el tránsito y los motociclistas platicando con ellos.

O cuando veo a las Marías, con sus pies descalzos y el niño envuelto en un rebozo sucio y raído, con sus ojos eternamente tristes y hambrientos y vendiendo fruta o chicles.

Mirándolo bien, son más las veces que no sé qué decir, porque no puedo explicarme tantas contradicciones.

El Presidente dice que hay que hablar, criticar, pedir, ¡exigir! Y cuando alguien lo hace, lo llaman satanizador, vende-patrias o fascista o comunista. Lo mismo podrían llamarlo protestante, o como quieran.

Miren, yo pienso que podríamos prescindir de los ladrones —que los hay— en todos los niveles; el social, el político, o el económico. ¿No me creen? Vamos a suponer que
por una verdadera desgracia, en las vísperas de elegir el
próximo candidato a la Presidencia, se murieran todos los
presuntos, o tapados, o como se llamen. ¿Qué pasaría?
¿Quieren apostar a que inmediatamente y después de la-
mentarse mucho, surgirían en el partido otro número igual
de presuntos, con tantas o más cualidades que los muertos?
¿No lo quieren creer? Pues yo sí, porque soy práctico.

"Pos, iguanas ranas" con los ladrones. Si pudiéramos
eliminarlos —recordando que no son indispensables— y
fuéramos sustituyéndolos con gente honesta, que la hay, poco
a poco podríamos cambiar la imagen. Claro que además de
honrados tendrían que ser competentes, pues si no saldría
peor el remedio que la enfermedad, aunque creo que de
todas maneras estaríamos mejor, porque ya vieron que los
del sexenio pasado no se distinguieron precisamente por su
"competencia". ¿O sí?

Y para asegurarnos de su honradez pues habría que
hacerlos declarar sus bienes antes, en, y después "del parto",
y también a sus familiares. ¿Me entienden? Y que alguien
se propasó, pues ahí está la Ley. ¿No es cierto? Pero claro
que no me hago tonto. ¿Quién va a ser el valiente que arroje
la primera piedra?

¿O haga su declaración previa? Silencio en la noche, ¿no?

5

EL CUENTO DEL SAPO

No hay peor sordo que el que no quiere oír, ni peor ciego que el que no quiere ver.

REFRÁN ANÓNIMO

ESTE cuento es muy conocido, pero viene que ni pintado para nuestros "politicomerciantes".

Cuentan que una vez el león, para celebrar un aniversario más de su reinado en la selva, mandó reunir a todos sus súbditos para comunicarles que habría una gran fiesta para conmemorar tan fausto acontecimiento. En primera fila se hallaba el sapo: ojos saltones, boca grande y voz ronca y áspera, quien no pudo reprimir un grito de júbilo, ya que era un amante de este tipo de fiestas.

El grito del sapo —animal no grato al rey— molestó al león, quien controlándose siguió su discurso.

—"En esta fiesta habrá comida suficiente, bebidas de todas clases, música y..."

—¡Qué a toda madre! —exclamó el sapo, sin poder contenerse.

La vulgaridad de la expresión y la antipatía que sentía por el animal, hicieron que su majestad, dejándose llevar por una explosión de ira, exclamara.

—Y aunque antes dije que a esta fiesta estaban invitados todos los animales, habrá una excepción. Aquel animal de ojos saltones y boca grande, no podrá asistir a mi fiesta —terminó el rey, mirando fijamente al sapo.

Este le sostuvo la mirada y sonriendo le contestó:

—Majestad, ¡qué chinga le acomodaste al cocodrilo!

Cualquier semejanza entre el cuento anterior y un discurso presidencial, con el Primer Mandatario fustigando a los funcionarios deshonestos e incumplidos y éstos aplaudiendo en pleno, es eso: una semejanza.

6

NI COMUNISMO NI CAPITALISMO. UN SOLO CAMINO: ¡MÉXICO!

> Sólo había de dos sopas y ya se acabó la de fideos.
>
> [REALIDAD MEXICANA]

CUANDO PIENSO en mi país me dan ganas de llorar, verdad buena. La muina se me hace nudo en la garganta, se vuelve agua salada en la cabeza y se me sale a torrentes por los ojos. ¡Pobre patria mía! ¡Con tu historia hecha de mitos y tu realidad de traiciones!

Porque aunque uno no quiera, a veces se pone a pensar y, al ver la realidad nacional, se le pone la carne de gallina.

¿Dónde está aquel cuerno de la abundancia invertido que según me enseñaron en la escuela, simbolizaba a nuestro país?

¿Qué se han hecho los postulados de la Revolución?

México es hoy en día un país endeudado hasta la médula. México es un país con gravísimos problemas sociales causados por la injusta distribución de la riqueza. México es un país con hambre, y no sólo de pan, que es lo peor.

Podría seguir agregándole a la lista indefinidamente, pero no lo creo necesario, porque tú y yo sabemos de sobra lo que nos pasa.

La mera mera es que por angas o por mangas, se acabaron las vacas gordas, y como dije antes, ya no nos quedan fideos.

Así pues, a comer de la otra sopa. Pero todos parejos, mi amigo. Campesinos, obreros, clase media, ricos, pobres, burócratas, gobernantes y ex-gobernantes. Sobre todo estos últimos que son los que han disfrutado más de los buenos tiempos.

Porque no me vendrán a decir ahora que estoy acusándolos injustamente; si nada más hay que ver cómo viven y lo que ostentan. Porque lo que tienen, jamás lo sabremos. Pero podemos hacer cálculos: nomás mirando sus casas; contando sus coches; y de vez en cuando que se sabe en cuánto una viuda vendió su casa a la embajada china, o que un señor se peleó con una cadena hotelera extranjera y le quitó sus hoteles, o que el yerno de otro señor salió mal en una de tantas empresas descentralizadas. Claro que en cada ciudad, pueblo o aldea de México, hay quien sabe cosas de éstas, de cada cacique, líder, funcionario menor, funcionario mayor, gobernador o ministro; pero nadie habla, y nadie habla porque sencillamente puede desaparecer si lo hace. Si contáramos con todos los "desaparecidos" en nuestro país, desde que empezó todo esto, tendríamos algunos miles más de bocas que alimentar. Fue ahí donde realmente se originó la campaña ahora tan famosa de "Vámonos haciendo menos".

Y suponiendo que ahora no fuera así, lo primero que piden son pruebas. Como si fuera tan fácil conseguirlas. ¿A poco tú y yo tenemos acceso a sus archivos, a sus declaraciones de impuestos, a sus cuentas de gastos, a sus declaraciones de bienes?

Según veo yo el problema, el capitalismo no es la solución para nosotros. Estoy de acuerdo. Pero estoy de acuerdo porque para ser un país capitalista se necesitan recursos humanos y de los otros. Se necesita calidad, pero calidad de a deveras, no tan sólo lemas como aquél que decía: "Lo hecho en México está bien hecho." Se necesita fuerza y somos muy débiles. En fin, para mí, no podemos ser un país capitalista, porque los capitalistas son muy malos y nosotros los mexicanos somos muy católicos. ¡No! ¡De plano, capitalismo, no!

¿Y qué del socialismo? El socialismo es más cristiano. Ese se adapta más a nosotros, a nuestra "indiosingracia" como dice Raúl mi primo. Los mexicanos somos buenos por naturaleza, honrados y trabajadores; siempre preocupándonos por los problemas de los demás (países), aún a costa de grandes sacrificios. El socialismo también es así. No quiere que haya hambre; quiere que todos tengamos ocasión de educarnos, que todos seamos honrados y trabajadores.

¡Sí! ¡Definitivamente el socialismo nos conviene!

Sólo hay un pelo en la sopa: Si todos vamos a ser honrados y trabajadores ¿qué va a pasar con los líderes deshonestos, los politicomerciantes abusivos, los banqueros explotadores, los comerciantes voraces, los profesionistas irresponsables, los industriales ladrones, los choferes de taxi, los burócratas holgazanes, y con mi compadre Chuy y conmigo?

Pensándolo bien, mejor como dije al principio: Ni comunismo, ni capitalismo. Mejor: ¡México!

7

¡EL MILAGRO SEXENAL!

Virgencita de Guadalupe, no te pido que me des, sino que me pongas donde hay.

[Plegaria de políticos, líderes, funcionarios y, en general, de casi todos los mexicanos.]

HACE tiempo, a una estación televisora le dio por hacer una encuesta sobre el destapamiento del tapado. ¡Ah jijos! Esta frase me salió como albur, pero fue sin querer. Bueno, como te decía, hicieron su encuesta y la pasaron al aire.

Si tuviste la ocasión, como yo, de verla, quizá también te reíste al ver la nula conciencia política de los capitalinos entrevistados. Sí, me reí mucho al principio, pero cuando los oí contestar: "Yo en eso no me meto", me dieron ganas de llorar. Mi corazón empezó a latir furiosamente y en sus latidos repetía   YO-EN-ESO-NO-ME-METO-YO-EN-ESO-NO-ME-METO-YO-EN-ESO-NO-ME-METO.

¿Qué fue lo que motivó esa respuesta? Y no fue una sola. ¿El miedo? ¿La indolencia? ¿La falta de interés? ¿Qué fue?

Porque si bien no en televisión, sino en las urnas, los mexicanos contestamos desde hace muchos años: YO-EN-ESO-NO-ME-METO - YO-EN-ESO-NO-ME-METO - YO-EN-ESO-NO-ME-METO.

La única vez que quisimos hacerlo fue en tiempos del general Cárdenas. Sí, cuando Almazán, ¿te acuerdas? ¿Y qué pasó? ¡Salió Avila Camacho! Como sale el número premiado de la lotería y todos tan contentos. Por eso creo "que las gentes de bien han dejado el gobierno en manos de las gentes que no son de bien", porque YO-EN-ESO-NO-ME-METO-YO-EN-ESO - NO-ME-METO-YO-EN-ESO - NO-ME-METO.

¡Hombre! ¡A propósito! ¿Te acuerdas de quién dijo eso de los hombres de bien? Pues hoy leí en el periódico:

"La SAG no autoriza las declaraciones de Almada." Luego un segundo encabezado:

"El hombre criticó la política de LE y su futuro es prácticamente nulo." ¿Qué te dije? Si no te acuerdas, retrocede unas páginas y relee lo que escribí. Creo que voy a poner un changarro de adivino ¿no?

Bueno, pos eso de que por qué los demás no se meten, no lo sé. Yo voy a contestar por mí mismo solamente: Yo no me meto porque en primer lugar es mentira eso de que el voto se respete y a mí no me gusta que me falten al respeto. En segundo lugar, porque votar en México es como ir al cine a ver la misma película cada vez que hay elecciones. Fulano pasa de diputado a senador y sutano de senador a diputado. Hay uno que accidentalmente conocí hace veinte años en la Cámara de Diputados y el año pasado todavía estaba ahí. ¿Así qué ganas dan de votar? Al cabo, de todos modos, siguen pasando la misma película.

Finalmente, no voto, porque aunque soy católico no creo en los milagros y mucho menos en los milagros políticos.

Cada que hay elecciones para Presidente de entre todos los ministros sale uno al que yo llamo EL MESIAS, EL SALVADOR, LA LUZ DEL UNIVERSO; él es el elegido.

¿Qué por quién? ¡Por quién sabe, pero es el elegido!

Mientras no lo fue, sus adversarios políticos —aspirantes al puesto de redentor también— se las ingeniaron para sacarle por trasmano sus trapitos al sol. Pero una vez que ha sido ungido como el bueno, automáticamente se convierte en: apóstol de los pobres; el hombre indicado; el que México necesita para seguir su brillante trayectoria, etc., etc.

Dime tú, ¿no se necesita un milagro para hacer de un burócrata venido a más, un Mesías?

Para mí lo mismo da Chana que Juana. Ora que si de vez en cuando hubiera alguna crucifixión, como sucedió con Nixon en los EE.UU., pues a lo mejor no todos le entraban a la política y en ese caso pues hasta ganas me darían de votar.

Como dice Barrios Gómez, nuestro embajador en Canadá, ¿no cree usted?

8

CANDIL DE LA CALLE

¡México para los chilenos y
Chile para los mexicanos!

[ALBUR MEXICANO]

"FLORES de la Peña dirige un centro de investigación. Es oficial y casi todos sus miembros son chilenos."

Mira si no es para dar coraje:

"Cuatro meses después de haber renunciado a su cargo de Secretario del Patrimonio Nacional, el licenciado Horacio Flores de la Peña fue designado presidente del Centro de Investigación y Docencia Económica, organismo creado por el Presidente Echeverría con vistas a formar nuevos y mejores cuadros para entender la función pública."

Si el hombre sirve, ¿para qué lo quitaron de donde estaba? Si el hombre no sirve, ¿para qué le dan otro hueso?

Y más adelante sigue la información: "El ex-titular de SEPANAL y también exdirector de la Facultad de Economía." —"No me tomen fotos por favor, estoy en mangas de camisa y no he tenido tiempo de hacerme el pelo"— reconoció que en el CIDE trabajan varios economistas chilenos que formaron parte del gobierno de la Unidad Popular del Presidente Salvador Allende."

¡Caramba! Al leer esto se me pusieron los pelos de punta. ¿Tienes idea, mi amigo, de lo que los economistas chilenos —derechistas o izquierdistas— han hecho con la economía de su país?

Si te digo que durante muchos años Chile ha tenido el dudoso honor de ser el país con la tasa anual de inflación más grande del mundo, ¿me creerías?

Pues piensa nomás un poquito y ponte a rezar conmigo, porque ahora sí viene lo bueno. Ni más ni menos se hará realidad lo que dijo aquel embajador al llegar a nuestro país: ¡Chile para los mexicanos! Como la edición que estás leyendo fue impresa en este año y este capítulo lo escribí en 1976, antes de la "flotación", podrás darte cuenta de que yo, como todos los mexicanos, tengo "dotes adivinatorias". Para nuestra desgracia se hizo realidad mi predicción: ¡Chile para los mexicanos!; ahora sólo nos queda seguir el consejo de Confucio —filósofo Chino según me informa Chuy mi compadre— y que dice así: "Si te van a violar y no puedes evitarlo, pues entonces relájate y gózala"... Para mí que este tal Confucio era maricón.

9

AL PRI MEJOR R.I.P.

¿Cómo que se murió, si me debía?

[CHISTE POPULAR]

LA NETA es que para mí el PRI debe pasar a mejor vida; debe desaparecer y pronto. Está tan desvalorizada su imagen que es una de las causas del abstencionismo electoral. Votar es como querer jugar con el Supermán ese de los libritos cómicos, que como siempre gana, ya ni chiste tiene jugar con él.

Hace muchos años existía el PNR. Luego nació el PMR y finalmente se convirtió en el PRI. Es la misma gata sólo que revolcada.

Sinceramente creo que están fuera de onda, como dicen mis hijos. ¿A qué diablos llamarse Partido Revolucionario Institucional, si la revolución se acabó hace muchos años? ¿Para qué carajos necesitamos un Partido Revolucionario?

Eso está bien para otros países; nosotros ya hicimos nuestra revolución y también ya la terminamos hace mucho tiempo. Ahora lo que hace falta es ver qué han hecho con los principios por los que murieron tantos compatriotas; pero sin máscaras y demagogia. ¿Qué no se dan cuenta de que todos los mexicanos los conocen más como los "Robolucionarios"? Eso es actualmente el PRI. El Partido Robolucionario Institucional. Y eso no se quita ni con FAB limón, y que me perdonen el comercial.

El pleito del sexenio anterior entre gobierno y empresa privada era sencillamente porque el primero quería culpar a la segunda de la situación y la verdad es que hay suficiente mierda como pa' que les toque a todos y sobre mucha más para repartir.

¿Se acuerdan del cuento de los Bueyes del compadre? Para el que no lo sepa o lo haya olvidado, aquí les va:

Durante la epidemia de la aftosa, llegaron los soldados del llamado Rifle Sanitario, a matar a los animales enfermos de un campesino que sólo tenía un pequeño pedazo de tierra y una yunta de bueyes para ararla. Obviamente el campesino no quería perder sus animales, y sacó su 30-30, dispuesto a enfrentarse al pelotón. El teniente al mando comprendiendo que era por ignorancia más que nada que el campesino se oponía, inventó una treta y la desarrolló más o menos así:

—¿Tú eres católico?

—Sí, siñor —respondió el campesino.

—Entonces crees en Dios ¿verdad?

—Sí, siñor.

—Si yo te dijera que todo lo que pasa es por la voluntad de Dios, ¿me creerías?

—Sí, siñor —afirmó nuevamente el hombre.

—Si yo te dijera que los animales enfermos deben morir por la voluntad de Dios ¿lo aceptarías?

—Sí, siñor —le respondió.

—Bueno muchachos —dijo sonriendo el oficial, dirigiéndose a sus subalternos—. ¡Adelante!

—Un momentito, siñor —dijo el indígena cortando cartucho y apuntando hacia los soldados.

El oficial indignado reclamó:

—¿No acabas de decir que aceptas que se haga la voluntad de Dios?

—Sí, siñor —contestó el campesino—. Estoy de acuerdo en que se haga la voluntá del Siñor, pero en los güeyes de mi compadre.

Así están gobierno y empresarios. Cada quien quiere el bien de México, pero que el sacrificio sea del otro. ¡Qué bonito! ¿Verdad?

¡Caramba! Ya me volví a salir del tema, te ruego que me perdones pero a estas alturas ya te habrás dado cuenta de que no puedo evitarlo.

Volvamos pues al punto del PRI. El PRI es el Partido del gobierno. El gobierno es todopoderoso pero corrupto.

Entonces, como me decían en la clase de álgebra: si A es igual a B y B es igual a C, A será igual a C. O sea: el PRI es todopoderoso pero corrupto.

¿Limpiarlo, dices? ¡No me hagas reír! Hay que formar un partido nuevo, aunque éste ya no sea revolucionario y mucho menos *robolucionario*. Y no sólo eso. Hay que dejar que se formen verdaderos partidos de oposición; no tener comparsas como el PARM y el PPS.

¿O qué sólo los mexicanos que estén de acuerdo con el gobierno, son los buenos mexicanos? Para mí, si no me dejan otra alternativa, tendré que afiliarme algún día al PAN, y no porque me guste o piense como ellos, sino porque es el único partido de oposición medio organizado que hay. A eso se deben los votos que recibe este partido en las elecciones. Que ni se hagan ilusiones. No son votos a favor del PAN; son como algún día será el mío —cuando vote— en contra del PRI. La otra alternativa, la de la abstención, ya me está cansando y ya estoy viejo y soy muy cobarde para pensar otras cosas. Aunque viendo lo que los dirigentes del PAN hicieron con la candidatura de Pablo Emilio Madero, la mera verdad mejor nunca me afiliaré al PAN. Mejor me espero para ver si con las reformas que anuncian se forma el PA. CH. U. CA. 68 (Partido de Chaqueteros Unidos y Cabrones del 68), así podré codearme con los Francisco Javier Alejo, Juan José Arreola y decenas más de "patriotas de bolsillo". ¡Quien quita y se me "pegue" algo de ellos ¿verdad?

Yo no sé por qué ahora me está preocupando todo esto. Hasta hace unos años ni me fijaba. Ahora es diferente. Nomás ando como enyerbado, fijándome en todo lo que pasa á mi alrededor y con un nudo en la garganta que no puedo quitármelo de ahí. Las enfermadas que me doy cuando sube todo, son de película. Hasta chorro me da, nomás de verlos a ellos con chofer y patrulleros, gordos y felices disfrutando de la vida, administrando nuestros impuestos y echándole la culpa a otros, de lo que ellos mismos causaron. ¿Acaso no estaban en el gobierno hace cinco, diez y hasta quince años ?¿De dónde han sacado para vivir como viven?

Sólo Dios sabe lo que pienso de los administradores. ¿Te has puesto a pensar en ellos?

Mira, el trabajo de quien administra no produce ni riqueza, ni nada, bien sea un contador o un funcionario público. El trabajo de verdad es del que genera la riqueza, ellos sólo la distribuyen. Nunca han sudado un peso, nunca lo han producido. Por eso no saben lo que cuesta. Por eso es fácil agobiarnos con sus problemas. Ellos no pueden resolverlos, porque su "trabajo" no genera riqueza. Tú y yo sí podemos, porque nuestro trabajo sí es trabajo de verdad y es el que verdaderamente produce, lo demás es cuento chino.

Dicen que para evitar que nos exploten los ricos, está el gobierno. Me gusta eso.

Pero ¿y quién nos protege de los abusos del gobernante? ¿De los robos del gobernante?

¡Sí! ¡Ya sé! Para eso están las elecciones; para eso están las leyes. Nomás que estas leyes son para que las cumplan los bueyes, o se cumplan en los bueyes... de mi compadre.

Dicen que Napoleón dijo que los pueblos tienen los gobiernos que merecen. ¡Ay nanita! ¡Qué pocos merecimientos tenemos, verdad de Diosito santo!

10

PREGUNTAS IDIOTAS

> Mamá: ¿Por qué me parezco al lechero?
>
> ¡DUDA QUE MATA!

ESTABA LEYENDO el otro día:

"30 años de retroceso en la Revolución."

"La causa, vicios en la Reforma Agraria."

"Coinciden C. del Río y Gómez Villanueva."

"Cambio radical en el actual gobierno."

¡Lo veo y no lo creo! Y sigue la mata dando: "La concentración de la riqueza en unas cuantas manos frente al crecimiento de las clases marginadas, así como los vicios, las deficiencias y la inmoralidad en la Reforma Agraria, provocaron en las últimas tres décadas un retroceso en la Revolución Mexicana."

Aquí van algunas preguntas idiotas:

¿Quiénes permitieron que se concentrara la riqueza en unas cuantas manos?

¿Cuántas y cuáles son estas manos?

¿De qué vicios se trata?

¿Quiénes los propiciaron?

¿De qué deficiencias hablamos?

¿Quiénes son los responsables de esas deficiencias? ..

¿Así que hubo inmoralidad?

¿Quiénes fueron los inmorales?

¿Por qué no se les castiga?

¿Dónde estaban entonces los de ahora?

¿Por qué no protestaron?

Seguiré con más preguntas idiotas; ya me gustó el jueguito:

¿Por qué las empresas descentralizadas deben perder dinero?

¿Por qué hay que emplear familiares cuando se ocupa un puesto público? ¿O amigos? ¿O conocidos?

¿Por qué no se resuelven pronto y bien los problemas como el de los trabajadores transitorios de Pemex y los de la Spicer?

¿Para qué sirve Fidel Velázquez?

"Cada hora muere un mexicano a causa de la tuberculosis, afirma el doctor Gage B."

¿Se trata también de la campaña de "Vámonos haciendo menos"?

Si yo soy la mitad de un contrabandista:

¿Quién solapa a la otra mitad?

"En la madrugada del 4 de mayo, la fuerza pública del estado, apoyada por la tropa, desalojó a unas 2,000 personas que ocho días antes habían invadido los predios de 5,136 hectáreas de Luis López de la Torre y Salvador Nieto."

"Hubo golpeados, quemados, una señora abortó, y algunos niños que dormían resultaron heridos, al decir de los campesinos." La misma noticia prosigue: "Aquí hay poco más de cien mil campesinos, con sus derechos agrarios a salvo, pero sin tierra."

¿Pos no que el ejército viene del pueblo y por eso nunca lo atacará?

"El mal funcionamiento de algunas cooperativas pesqueras se debe a que las embarcaciones y el equipo recibido son inadecuados."

¿Quién autorizó esas compras?

¿Está libre todavía?

Y siguen las preguntas:

¿Por qué tiene siempre que ganar el PRI?

¿Por qué el PRI dice representar al pueblo de México, si en las elecciones presidenciales de 1970 el 34% se abstuvo de votar, el 25% de votos se tuvieron que anular y el 20% de la votación fue en su contra? ¿Y por qué en las de 1976 no hicieron mucho ruido? Lo único que dijeron es que "habían vencido el abstencionismo", pero de porcentajes verdaderos ¡nada! ¿Será que todavía no terminan de contar los votos?

"LEA contra los funcionarios que se han enriquecido en otros sexenios."

¿Y cómo está con los que se han enriquecido en éste?

"Hay que combatir la falta de probidad, que por desgracia abunda en todos los niveles."

¿Se trata deveras de una desgracia, o de poca "abuela"?

"Echeverría manifestó que por desgracia la falta de probidad se produce en todas las actividades humanas, tanto en las privadas como públicas."

¿En cuál de las dos es peor, por ser impune?

"Pero nunca se debe dejar de luchar contra esas manifestaciones de deshonestidad."

¿Llamo a la Procu?

¿Para qué sirve la Procu en estos casos?

¿Se acuerdan del 10 de junio?

¿De los transitorios de Pemex?

¿De mil cosas más?

"La propiedad privada, sujeta al interés público."

¿Quién decide cuál es el "interés público"?

"Ocho policías festejaron a dos maestros despojándolos de todos sus regalos. Precisamente en su día, anoche dos maestros fueron asaltados por ocho policías que pistola y carabina en mano les quitaron..."

¿También quieren que luchemos contra éstos?

¿Y con qué ojos, divina tuerta?

"Que nadie se sienta elegido por el destino."

¡Ah caray! ¿Pos qué no los elige el PRI?

"No hay indispensables en la vida pública."—LEA.

¿No se los había dicho yo antes?

Para terminar, estas últimas preguntas idiotas:

¿Son los chilenos deveras buenos economistas?

¿Seguirán "asesorando" a J.L.P.?

¿Otra vez ganará el América el campeonato de Liga?

Esta última es la más profunda y la más importante de todas las preguntas que he hecho.

11

EL PAÍS DE LOS ADIVINOS

Un futurólogo en cada hijo te dio...

[HÁBITO NACIONAL]

AYER MI tío Elpidio me explicó lo que es un FU-TU-RO-LO-GO. Es una especie de adivinador, pero a lo bestia. No depende solamente de los astros y estrellas, sino también utiliza esas máquinas con nombre de mujer non sancta que usan los Bancos: las computadoras.

En fin, la verdad es que no le entendí muy bien cómo le hacen, pero sí le entendí que adivinan el futuro. El cómo lo hagan, pues es cosa de ellos.

Bueno, como les contaba, cuando mi tío Elpidio me estaba explicando eso, yo no aguanté la risa y empecé a carcajearme. Verdad de Dios, que casi me orino de la risa. Mi tío se enojó mucho conmigo y si no me mentó la madre es porque mi madre es su hermana, y ya es de todos sabido el gran respeto que nosotros los mexicanos sentimos por nuestra familia. Si mi mamá no hubiera sido su hermana, entonces sí seguro que me la mienta, porque ya es de todos sabido el poco respeto que los mexicanos sentimos por las familias de los demás mexicanos. Pero si me la hubiera mentado, pues entonces no hubiera sido mi tío carnal, y yo le hubiera roto el hocico, porque ya es de todos sabido lo mucho que los mexicanos queremos a nuestra madrecita. El diez de mayo yo creo que en ningún hogar de México falta aunque sea un dulce para ellas. No importa que el resto del año tengan que tallarse el lomo como las buenas y nosotros no les ayudemos. Ustedes comprenden que hay que enseñarles la realidad. No vaya a ser que se mal acostumbren y entonces el 10 de mayo pierda toda su significación. ¿Verdad?

Como les iba diciendo, mi tío Elpidio estaba furioso porque pensó que yo me reía por faltarle al respeto y no era así. Yo me reía porque, pos eso de los futurólogos será nuevo en no sé en dónde; aquí en México ya tienen casi cuarenta años de existencia. Cada sexenio se repite el espectáculo que asombra al mundo. ¿A poco crees que exagero? ¡Deveras! ¡Asombra al mundo!

¿No me crees? Pos sí, mi amigo. Acaso no es para asombrarse el que la vida económica de todo un país casi se paralice durante un año, mientras todos los habitantes andan adivinando.

¿Que qué adivinan? Dos cosas muy importantes, primero: ¿Quién es el bueno? Después: ¿Qué intenciones trae?

Esta tradición mexicana, que está tan arraigada en nuestro pueblo, ha hecho que el mexicano desarrolle sus facultades extrasensoriales.

¿De vuelta no me crees? ¡Caray, que eres incrédulo! Para que se te quite lo necio, en este mismo momento te lo voy a demostrar:

Voy a hacerte varias preguntas sobre el futuro de nuestro país, te voy a dejar un espacio en blanco para que respondas; por favor, ¡hazlo! Luego, el año que entra o dentro de dos años vuelve a leer esto y me dirás quién tenía razón. ¡Concéntrate! ¡Abuzado! ¡Ahí te van las preguntas!:

1)   ¿Qué partido político ganará las próximas elecciones en nuestro país?
   Tu respuesta:

2) ¿Procesarán a algún ex-ministro o ex-presidente, por abusos cometidos durante su gestión?
Tu respuesta:

3) ¿Moralizarán realmente la administración pública?
Tu respuesta:

4) El equipo de asesores chilenos empleados por el pasado gobierno, ¿terminó con la inflación o con México?
Tu respuesta:

3) ¿Se darán garantías a todos los ciudadanos, para que puedan organizarse en verdaderos partidos políticos a fin de despertar la conciencia política de todos los mexicanos?
Tu respuesta:

6) ¿Se acabarán las placas especiales, "influyentismo" y la "mordida"?
Tu respuesta:

7, ¿Se respetará la Constitución cada día, cada minuto y cada segundo del año y de todos los años?
Tu respuesta:

8) ¿Entendieron ya los "servidores públicos", chicos y grandes, que tú y yo ya estamos cansados y asqueados de su demagogia, de sus queridas, de sus abusos y de sus latrocinios?
Tu respuesta:

9) ¿Se acabarán las "comisiones", los gastos de representación, los dobles sueldos, los carros con guaruras y todas esas pequeñeces de que disfrutan los cumplidos servidores públicos?
Tu respuesta:

10) ¿Se acabará el contrabando?
Tu respuesta:

11) ¿Dejarán algún día nuestros presidentes de buscar el Premio Nobel o la Secretaría de la ONU?
Tu respuesta:

12)   ¿Lo conseguirán algún día?
Tu respuesta:

Te dejo este espacio para que aprendas a interrogar al futuro por ti mismo:

13)
14)
15)
16)
17)
18)
19)
20)

¿Ves cómo somos futurólogos? ¡Y de los buenos!

12

MITOS MEXICANOS

Al pulque le falta un grado
para ser carne.

[PRETEXTO PARA INFLAR]

ANOCHE ESTUVE pensando: ¿Cómo hemos llegado hasta aquí?

Forzosamente nuestra manera de pensar gobierna nuestra forma de actuar. ¡De todos: campesinos, obreros, empleados, políticos, burócratas, taxistas, líderes, etc., etc.!

La mentalidad de un pueblo —creo yo— la forman diversos factores, pero uno de ellos y muy importante es el gobierno a través de las escuelas. No digo que sólo el gobierno; nosotros mismos contribuimos con la mayor parte, porque a fuerza de creerlo terminamos actuando como si fuera cierto lo que creemos.

Afortunadamente, he leído en una revista mexicana unos reportajes que hablan de diversos mitos y otros que tratan de explicar por qué los mexicanos somos cómo somos.

Eso de que uno es como es y no como piensa que es, me gusta porque es cierto. Por eso quiero poner mi granito de arena. Ahí van, pues, algunos mitos que gobiernan nuestra forma de pensar y que sería saludable corregir:

—El gobierno es elegido por el pueblo; en México hay pues, un gobierno democrático.

—El PRI es invencible.

—Compadre que no le llega a la comadre a las caderas, no es compadre de deveras.

—Lo hecho en México está bien hecho.

—Al pulque le falta un grado para ser carne.

—La cerveza mexicana es la mejor del mundo.

—El Himno Nacional ocupó un tercer lugar entre los Himnos nacionales del mundo, el francés ocupó el primero. (Este mito lo inventó un francés.)

—Como México no hay dos.

—En México ya no puede haber otra revolución.

—Los empleados públicos son Servidores Públicos.

—Fidel Velázquez es indispensable para el movimiento obrero mexicano.

—La Reforma Agraria.

—Nuestros impuestos están trabajando.

—Vivir fuera del presupuesto, es vivir en el error.

—La autonomía de las Universidades.

—La libertad de Prensa. (Por miedo o por interé$:)

—El control de precios.

—Los mexicanos somos muy machos.

—Jalisco nunca pierde y cuando pierde arrebata.

—La mordida es una institución, por eso no puede desaparecer.

—Todo se lo debo a mi mánager.

—La Revolución Mexicana está vigente.

—No existe el tapado.

—Yo adoro a mi madrecita.

—Somos pobres, pero honrados.

—La mujer mexicana es de las más fieles del mundo.

—Amarren a sus pollitas, que mi gallito anda suelto.

—El ejército viene del pueblo, por eso nunca lo atacará.

—Pase usted, ésta es su pobre casa.

—Las cartas de recomendación de los políticos, para conseguir trabajo, o escuela para tus chamacos.

—Ahorita voy.

—Al ratito.

—Ni modo.

—Ahí se va.

—Soy su servidor.

—En México los líderes no se venden.

—En México hay tres partidos de oposición.

—La Ley de Responsabilidades.

—Casi todas nuestras leyes.

—Es mejor no meterse en los problemas políticos.

—Las garantías individuales.

—Era necesaria la matanza del 68.

—Los Halcones no existen.

—La Procuraduría investigará lo del 10 de junio.

—La Constitución es palabra femenina, por eso la violan tanto.

—Cada hijo trae su torta bajo el brazo.

—Los licenciados no nada más sirven para la política.

—Servir al país, es la máxima ambición de los políticos mexicanos.

—Servir a los trabajadores, es la máxima ambición de los líderes mexicanos.

—Producir calidad a bajos precios, es la máxima ambición de los industriales mexicanos.

—Estudiar para ser útiles al país, es la máxima ambición de los estudiantes mexicanos.

—No votar, es la máxima ambición del pueblo mexicano.

—En México no hay hambre.

—No me tardo.

—Orita vengo.

—Los gringos tienen la culpa de todo.

—¡Sufragio Efectivo! ¡No Reelección!

13

DIVERSIONES INOCENTES

En Roma eran: ¡Pan y Circo!
Aquí, ¡nomás puro circo!

[MI COMPADRE CHUY]

CON LO caro que está todo, he tenido que ingeniármelas para divertirme. Antes era fácil: Un cine de los buenos costaba 4 ó 5 pesos. Ahora las películas buenas las pasan en dizque cines de arte a 15, 20 ó 25 pesos, y así, pos ¿quién?

Hasta me dan ganas de repetir lo que dijo el poeta:

"Entre tu arte y mi arte, prefiero miarte."

Ora que yo no sé cómo le hagan, pero vienen artistas de mucha fama, se presentan en un cabaret —y aunque cobran un ojo de la cara, todavía hay gente que va y deja el otro ojo de propina—. ¡Qué ojetes! ¿Verdad?

En fin, como dicen los gringos: "fácil viene, fácil se va". Me refiero al dinero que ellos gastan. Por mi parte, pues la mera verdad, a veces no tengo para divertirme y entonces echo a volar mi imaginación o veo la tele, o leo un libro. Lo malo es que a muchos libros no les entiendo y me da vergüenza. Tampoco me gustan esos programas de Nuestra Gente, o Sube Pelayo, Sube. Me aburren los de mucha cultura como es el de Encuentro, que trae gente de diferentes partes para discutir problemas de todo el mundo. Digo yo, ¿qué, en México no tenemos suficientes problemas, como para que hiciéramos ese programa exclusivamente entre nosotros y con nuestra gente No crean que lo digo por patriotismo o porque desconozca que los problemas mundiales nos afectan y mucho. Lo que pasa es que ahí poco podemos hacer realmente. En cambio en México, si nos fajamos los pantalones y nos disponemos a oír verdades, es mucho lo que podríamos hacer. Creo yo.

Claro está que si ese tipo de programas lo vamos a usar para pura demagogia y para que se luzcan los políticos, pues está mejor como está. ¿Verdad? Al menos ahora no les entiendo a los extranjeros, y eso no es tan vergonzoso. Lo vergonzoso es no entenderles ni a los compatriotas.

Bueno, como te decía, al no haber "luz" pues empiezo a imaginarme cosas. Películas, series de televisión, libros, piezas teatrales, cuadros, canciones, etc., etc.; pero no como son en realidad, sino como a mí me gustaría que fueran. Cambio a los protagonistas a mi antojo, me imagino cosas y me divierto un chorro y gratis.

Por si acaso tú estás en la misma situación, te voy a poner unos ejemplos; verás que te gusta porque se divierte uno mucho y además no cuesta nada.

A mí me gustaría volver a ver la película "Ante el cadáver de un líder", pero protagonizada por Fidel Velázquez.

—"Terremoto" en todos los edificios y delegaciones del PRI.

—"El Exorcista", por el pueblo de México y en todas las oficinas públicas.

—"Los Miserables", por los intermediarios de los artículos de primera necesidad.

—En el palo ensebado de "Sube Pelayo, Sube" a todos los tapados de cada sexenio.

—"El Capital", en mi casa.

—"Los Siete Jinetes del Apocalipsis", en las casas de los que se han enriquecido ilícitamente.

—"Bonanza", para variar un poco, en todos los hogares de México menos en los de los ex y los funcionarios públicos.

—"Kojac" y "Supermán" contra los narcotraficantes.

—"El Señor Fiscal" contra los hambreadores.

—A "Perry Mason" defendiendo los derechos del pueblo mexicano.

—"Los Invencibles", contra el PRI.

—"Siempre en Domingo", aunque fuera un bistecito en la casa de cada campesino mexicano.

—"Ultraman", contra los contrabandistas.

—"Yesenia", para mí.

—"La Aventura del Poseidón", protagonizada por todos los barcos extranjeros que saquean nuestras riquezas marinas.

—"Cama Motorizada", esa la prohibiría yo, porque por culpa de eso, ahora quieren que nos vayamos haciendo menos.

—"El Padrino", quisiera que fuera mi compadre.

—"La Sombra del Caudillo", mejor que ya no hubiera caudillos.

—"Misión Imposible", hacernos votar a fuerza.

—"Contra la contaminación, contamos contigo". ¿Contra cuál de todas las contaminaciones?

—"No seas la mitad de un contrabandista." Prefiero serlo entero, si fuera medio, ya estaría muerto.

—"Los de Abajo". A esos me gustaría verlos arriba.

—"La Región más Transparente", cuentos chinos.

—"Cien Años de Soledad". Las urnas electorales en las elecciones por venir de aquí a un siglo.

—"El Mago", protagonizada por el PAN para que ganara unas elecciones presidenciales, no le aunque que nos fuera pior. ¡Nomás pa' ver qué se siente!

—"La Odisea", la que pasamos para poder comer todos los días.

—"El Infierno", ahí debería estar "quien tú ya sabes".

—"El Cielo y Tú", eso nos merecemos por "buenas gentes y pendejos".

—"No Desearás la Mujer de tu Prójimo"; ¿qué, ya nos vamos a volver maricones todos?

—"La Revolución Mexicana", esa sí fue una revolución.

—"Los Cuentos de Andersen", la revolución mexicana actualmente.

—"La Ultima Cena", esa me gustaría dársela a todos los sinvergüenzas, aunque nos quedáramos solos.

—"El Príncipe y la Corista", un ex con quien tú ya sabes.

—"El Rey", le cambiaría la R por B, le agregaría una U y sería aplicable a cada uno de nosotros.

—"Hambre", la querida de todos los mexicanos pobres, o de los pobres mexicanos, como mejor te parezca.

—"La Revolución Cubana", esa todavía no se vuelve cuento.

"Algo flota sobre el Agua". ¡Carajo!, ojalá fueran los cadáveres de diez u doce políticos mexicanos y uno que otro chileno y no nuestro pobre peso mexicano.

¿Ves qué fácil? ¡Aviéntate tú también, la próxima vez que no tengas dinero para divertirte! Total, ya sabemos que "soñar no cuesta nada".

14

LOS DESCONOCIDOS

¡Te conozco, mosco, en el piquete,
y aunque de rojo vistáis, ¡no me
asustáis!

[El Pueblo Mexicano a los políticos.]

ME PONGO de un humor negro en tiempos de agua. Este maldito juanete empieza a dar más lata que un candidato a diputado federal buscando votos. Y yo no sé si será coincidencia, pero mi juanete es lo que pudiéramos llamar un "juanete de izquierda", pues lo tengo en el pie izquierdo. La pata derecha no me da molestias más que muy de vez en vez, igualito que lo que pasa en la política nacional. El dolor de la izquierda es tan escandaloso que la derecha ni se nota. Estoy hablando de mis patas, no de política.

Ahora, nomás imagínate y comprenderás por qué estoy de mal humor: ¡Súmale!

El juanete * el nuevo precio del pan y las tortillas * llegan más refugiados chilenos * mi tía Avelina se enfermó y la operaron * se me descompuso el coche * mi hijo no va a pasar año porque no hemos dado las cuotas voluntarias * cada día se acercan más las elecciones * la güera (mi quelite) me cortó * se me descompuso la tele * mi esposa se me puso al brinco * ya no hacen el pulque como antes * ayer me orinó un perro * tengo que pagar la cuota sindical * me siento mal y tengo que ir al Seguro * tengo que ir a la Tesorería porque me quieren embargar por una cuenta que ya pagué... Mejor le paro, porque si sigo voy a tener que pegarme un balazo y ni pistola tengo. Además, no quiero ponerte triste con mis problemas, no le aunque que estos problemas sean igualitos a los tuyos.

Pero el callarme no me quita ni el mal humor ni el dolor del juanete; igualito que en la realidad. El silencio no quiere decir que uno no sienta o que uno no piense. A lo más, quiere decir que somos unos coyones y que bien merecido nos tenemos lo que nos pasa.

Pero el que nosotros tengamos miedo de hablar, se debe a algo, no nomás a que somos dejados. Porque si no hubiera policías ilegales, porque si la libre expresión fuera una realidad, pos de pendejos no íbamos a hablar, si en el catecismo nos enseñaron que al que no habla Dios no lo oye.

Yo asumo mi responsabilidad en este silencio. ¿Y qué? Antes que yo, otros han usado esta frase, en 1968 y el 1º de septiembre de 1976. Pos si a uno no le va a pasar nada, como a mí por no hablar, pos cualquiera asume cualquier responsabilidad. Lo canijo es cuando a uno sí le va a pasar algo, como a Heberto Castillo, como a Siqueiros y a muchos otros. Ahí es donde yo le saco. Ahí es donde tú le sacas. Ahí es donde todos le sacamos. Porque ya sabemos lo que viene, y no tenemos los suficientes blanquillos para estar dispuestos a lo que venga.

Ahora que reconozco que las cosas están cambiando un poco. Ya llevamos en menos de seis meses, tres gobernadores desconocidos, y está muy bien eso de desconocer a los que en una forma u otra abusan.

Yo tenía un amigo, Maclovio, de allá de mi pueblo. Nos conocíamos desde chicos y yo lo quería mucho, tanto que el año pasado que se vino a la capital en busca de fortuna, lo recibí en mi casa. ¿Y qué creen? Pos el condenado ¿no me quería volar a mi vieja? Al principio yo no lo creía cuando ella me lo dijo, y hasta me enojé muy fuerte. Pero un día que lo espío y que le caigo queriendo abrazarla.

Me dolió mucho, porque lo quería y había confiado en él. Ahora me lo encuentro en la calle y me hago como que no lo conozco. Por eso comprendo que a esos gobernadores los hayan desconocido, eso es lo que debe hacerse; si te vi ni me acuerdo. Está tan claro como la luz del sol.

Lo que no está muy claro para mí, es ¿cuándo se volvieron malos? Porque yo creo —y ahora que me fijo bien— Maclovio siempre fue malo. Desde chiquito tenía sus cosas; lo que pasa es que yo lo quería y no me fijaba.

¿Y estos señores? ¿Desde cuándo son malos? Porque mira el currículo —así dice el doctor Pérez, mi médico del Seguro— de uno de ellos. Eso de "currículo" parece majadería pero es una palabra latina, según me dijo él.

Ex-presidente del PRI.

Ex-gobernador de Hidalgo.

Ni más ni menos.

De acuerdo con lo que nos dicen nuestros gobernantes, para este tipo de puestos se escogen los mejores hombres. A lo mejor nos engañaron como a mí mi amigo Maclovio, y este hobre siempre fue malo.

Y si así fue, a lo mejor todos los que están en el candelero actualmente también los engañaron y todos son lobos con piel de oveja.

¡Creo que no voy a poder dormir esta noche! ¡Hay dudas que matan!

15

LA TIERRA DE LAS PARADOJAS

> Una paradoja es algo así como una
> contradicción, pero no tanto.
>
> MI TÍO ELPIDIO

ESTE COMPADRE mío, sí que sabe. No en balde trabaja en un Banco grandote. En esos lugares, pues no es como en otros, ahí sí saben su negocio y lo hacen bien. A mí me consta, porque el otro día casi me embargan mis chivas, nomás porque hacía unos meses que no les pagaba unos abonos de un préstamo personal que me ayudó a conseguir mi compadre Chuy.

De nada me valió el hacerme el enfermo, ni a mi vieja y a los escuincles llorar. Tuve que sacar el dinero que tenía para la fiesta del día de los compadres. Esos Bancos no tienen corazón. Mira que luego querer embargarlo a uno. No hay derecho.

Ora que el gobierno no anda muy lejos de ellos. Si lo dudas, nomás deja de pagar tus contribuciones y verás. La única diferencia es que el Banco no te amenaza con el embargo si no le debes nada y el gobierno sí. En el caso del Banco, ellos te tienen que probar que debes y en el caso del gobierno, tú eres el que tienes que probar que no les debes y pobre de ti si se te perdió un recibo; aparte de regañarte en las oficinas, pues te embargan en la vida real. Y todo porque a un burócrata desvelado se le olvidó pasar un papel al archivo. No hay derecho, pero ni modo.

Mi compadre me explicó que así debe ser, que el gobernar un país es como manejar un banco, o una industria. Y aunque tengo mis dudas, le creo a mi compadre, pues por algo está donde está; aunque no me haya explicado para quién es el negocio de gobernar un país. Además es muy inteligente y sabe de todo, hasta de política. La otra noche me explicó algo que yo tenía muchos años sin entender: Que México es una verdadera y auténtica democracia a pesar de todo.

Empezó a decirme que para entender la política nacional hay que ser mexicano. Que México es con todo y sus defectos, un verdadero paraíso de las libertades. Que si quiero saber lo que es bueno, vaya a Chile, o a Rusia, donde además de no poder hablar hay cárceles y leña en abundancia para los que no estén de acuerdo con el gobierno. O que no vaya tan lejos, aquí nomás a Cuba, donde hay soplones en cada manzana, que nomás están al alba para ver quién dice qué del gobierno.

Al principio no le creí, pero como dije antes, pues es tan hábil y sabe tánto, que ya me dejó con la duda. Porque lo que sea de cada quien, aquí no he sabido de nadie que lo hayan metido preso por hablar mal del gobierno. A veces meten al bote a la gente y no se sabe ni dónde están, ni por qué los metieron; pero por hablar mal del gobierno, al menos que yo lo sepa, no hay nadie preso.

Además, a cada rato dicen los mandones, que en México no se persigue a nadie por sus ideas políticas, y si ellos lo dicen, pues tendrán sus razones y ha de ser cierto.

Como no entendía muy bien eso de que México es la tierra de las paradojas, le pedí a mi compadre que me pusiera unos ejemplos. No me acuerdo de todos, así que sólo mencionaré algunos:

El mexicano es muy macho, pero muy coyón para las inyecciones.

—El mexicano —políticamente hablando— nace en México, pero vive en la luna.

Para nosotros, o las cosas están a toda madre, o valen una puritita madre.

Hablamos mal del gobierno, pero nos morimos por entrar en él.

Somos celosos de la honra, pero desentendidos del gasto.

Nos gustan las "gordas" y también las flacas.

La mujer mexicana es abnegada, pero celosa.

Hay educación primaria gratuita, pero no alcanza para todos.

Somos chaparros, ventrudos y feos, pero conquistadores.

Odiamos a los gringos, pero nos encantan los dólares y las gringas.

Queremos acabar con el hambre, pero subimos el precio de las tortillas.

Queremos que pierda el PRI, pero no votamos.

Hablamos mal del gobierno, pero queremos que todos nuestros problemas nos los resuelva el Presidente.

El Presidente es todo-poderoso, pero muchos de sus colaboradores no le hacen caso.

Somos gordos, pero malnutridos.

Somos muy feos, pero típicos.

Queremos que respeten a nuestra madre, y se la mentamos al primero que se nos atraviesa y por cualquier razón.

No somos acomplejados, y tenemos el: "¿Qué me ves güey?" a flor de labios.

Somos muy patriotas, pero en las vacaciones, los que podíamos, nos íbamos a comprar al otro lado.

Nos gusta el tequila, pero cuando nos invitan a otra casa y hay, tomamos whisky.

Queremos darle educación al pueblo, pero pagamos muy mal a los maestros.

Queremos que el pueblo vote, pero no respetamos su voto.

Somos muy serviciales con los de fuera, pero entre nosotros nomás andamos viendo a quién fregamos.

Exigimos calidad, pero en nuestro trabajo decimos "Ahí se va".

Decimos que el peso 'flota" y la verdad es que está más hundido que un sumbarino alemán de la Segunda Guerra Mundial.

Pedimos "austeridad" y les pagamos sueldos de doscientos mil pesos a los directores de empresas descentralizadas.

Metemos la paz en la casa ajena y armamos unas tremolinas de poca abuela en Sonora.

La verdad es que fueron muchas más las mentadas paradojas, pero la que más me impresionó fue la de que es una paradoja, pero que en México hay democracia, aunque los gobernantes no sean verdaderamente elegidos por el pueblo, sino por el PRI.

¡Echense ese trompo en la uña!

16

MI PENSAMIENTO POLÍTICO

El que parte y reparte...
se queda con la mejor parte...

JUSTICIA SOCIAL

LO PEOR que puedes hacer con mis ideas, es atribuirles un sectarismo determinado. Comunismo, socialismo, fascismo y demás yerbas, son para mí misterios más grandes y profundos que los orígenes del Universo. También cuenta el que soy católico, aunque ni cumpla con los sacramentos, ni vaya a misa. Soy lo que pudiéramos llamar "un católico en animación suspendida". Con todo esto, ya podrás imaginarte que si critico y opino, es más bien por lengua larga y aventado que porque quiera hacerle propaganda a doctrina política alguna.

Ruperto —un compañero de trabajo— es comunista. No sé bien de cuáles, porque has de saber que cuando uno habla de comunistas en México, realmente no sabe de qué está hablando. Que si Troskystas, que si Maoistas, que si Ortodoxos, que si Leninistas o Stalinistas. Para mí que los comunistas en México están más divididos que tortilla en casa de pobre. Y si están divididos, es más que nada porque aunque todos dicen querer el bien nuestro, difieren un poco acerca de cómo beneficiarnos. Unos quieren hacerlo dizque por la vía democrática y otros, los más desesperados, quieren hacerlo a chaleco y ¡Hoy mismo!

Claro que todos tienen una cosa en común: ninguno le pregunta al pueblo qué es lo que quiere, y eso pues la verdad no me gusta. Se me hace método muy familiar, conocido y desagradable como para que me guste. En fin, creo que Ruperto ha perdido su tiempo conmigo. A mí lo que me preocupa es otra cosa. No creo en apóstoles. Por eso no voy a misa.

Luego está algo que mientan mucho los comunistas y con reteharto asco: El fascismo.

Mi compadre me explicó que es una teoría principalmente nacionalista. Que tiende a exaltar lo propio como lo mejor del mundo y que no es buena esa teoría porque fue la filosofía de Hitler y Mussolini, el italiano ese que colgaron junto con su señora en Italia. Tampoco me gusta eso de que todo lo nuestro es mejor. No porque no quisiera que fuera, sino porque no es cierto. A lo macho que creo que esa filosofía ultranacionalista (qué palabrita ¿no? Me la enseñó Pompeyo, el maestro de 6º año de la primaria a la que van mis chavos) es la que más nos ha perjudicado, porque nos ha formado una manera de pensar equivocada en todo, en nuestra vida privada y en la casi nula vida política que tenemos la inmensa mayoría de los mexicanos.

Luego viene el Capitalismo y aquí es donde me hago más bolas que hilo de papalote enredado en un árbol. Mi tío Elpidio me contó que realmente el Capitalismo no es filosofía o una doctrina, sino más bien todo lo contrario; que es más bien una manera de actuar, abusando los poderosos de los económicamente débiles.

Por ejemplo, vamos a suponer que yo siembro maíz y mi cuñado Juan, frijol. Y que yo le vendo mi maíz a mi cuñado a un precio razonable y que cuando le quiero comprar frijol, para ponerle a mis tortillas, él no me lo vende, pero sí me vende tacos de frijol, veinte veces más caros que a como yo le vendí el maíz. Yo a eso no le llamo capitalismo, sino poca madre, y me enojé tanto que me peleé con mi tío y ahora no le hablo.

Como habrás podido darte cuenta, estoy bien encamotado con las teorías esas; por eso no creo que sean buenas. A mí me parece que si un pueblo no entiende el sistema que lo gobierna, o si no tiene de donde escoger, este pueblo está jodido. Y si a eso le agregas que pasa hambres, pues está de la fregada.

Creo que más que teorías, a estas alturas lo que necesitamos es educarnos un poco en el aspecto político, para que así seamos capaces de protestar por los abusos diarios que padecemos. Porque de otra manera nada va a cambiar. ¿A poco un Presidente y unos cuantos ministros, van a poder cambiarlo todo? ¡No, mi cuate! Se necesita la cooperación de todos nosotros; las protestas de todos, y cada que se cometa un abuso. Se necesita eso y mucho más. Porque la podredumbre y las malas mañas vienen de muy antes y están muy arraigadas, tanto que ya forman parte de nuestra manera de ser.

Y no es hora de estarnos fijando en quién tuvo la culpa. A esos, como les dijo el ex Presidente a los productores de cine: ¡Que se dediquen a cortar sus cuponcitos de las hipo-

tecarias, o que se vayan a disfrutar de los intereses de su
dinero al extranjero; pero que ya le paren!

También es necesario que los que están no vayan a
hacer lo mismo. Que si lo que quieren es robar, que aga-
rren una metralleta y traten de asaltar un banco, para que
arriesguen algo.

Ya lo dijimos antes, va siendo necesario que se nos eduque políticamente, que se nos acostumbre a votar, a través del
respeto al voto. Que dejen que se formen verdaderos partidos políticos, no fábricas de empleos en el gobierno. Y
por sobre todas las cosas, lo que más falta hace, es combatir
la corrupción que nos está ahogando: En lo político, en
lo moral y en lo económico. Lo demás es lo de menos, ¡verdad de Dios!

17

EL ESPEJO DEL ALMA

A veces una madre, es mucho. A veces tres, son pocas.

[FILOSOFÍA POPULAR]

MI HIJA Lupe tiene diez años y está muy chula. Salió a su madre en lo inteligente y estudiosa. Ella nos ayuda con los escuincles. Después de que llega de la escuela, se cambia y le entra a ayudar a su madre como las buenas. Luego hace su tarea, y como es la "intelectual" no le gusta ver esas series de muñequitos, así que se pone a jugar con sus hermanos que son seis. Sí, ya sé que soy un idiota, pero ahora ¿qué hago? Ni modo de regresarlos por donde vinieron. En aquellos tiempos yo creía que de a deveras cada niño traía su torta debajo del brazo. Ahora que si vieran a Pepe mi primo hermano, ese sí que está amolado con sus once tlaconetes. Yo ya lo veía venir, porque es muy mocho. Esos dicen que hay que tener los hijos que Dios nos quiera mandar. Como si Dios durmiera con su vieja. Lo que pasa es que les encanta el relajo y todavía creen que deveras el país anda rebién. Ellos viven en un mundo que es mezcla de lo espiritual y lo pendejo. Pero allá ellos. Yo por mi parte no quiero otro escuincle ni aunque viniera forrado de oro. Ya es tarde, lo sé, pero pues ahora ya ni modo, como decimos nosotros.

Como les decía, el otro día oí a Lupe contándoles un cuento que creo es de Walt Disney, el gringo ese que se murió podrido en dólares, nomás haciendo películas para niños. Qué gacho, éste hizo un negociazo, con lo que ahora es un problema: con los niños. Pero así son los gringos, siempre hacen negocios con los problemas de los demás. Por eso nosotros somos sus mejores clientes, porque tenemos una bola de problemas.

Nomás que ahora se les volteó el chirrión por el palito y ya no hallan qué hacer con los cientos de miles de mexicanos que tratan de irse a trabajar allá, huyendo del hambre y la miseria que los cobija.

Es tanta el hambre que tenemos en algunas regiones, que hasta han cambiado los hábitos de la gente. El Padre Nuestro ahora se reza así: El Hambre nuestra de cada día, no nos la dés hoy, etc., etc.

Y ya se sabe que "El hambre, es mala consejera", y esa mala consejera les aconseja largarse del país y tratan de irse a los "Yunais". Sólo que allá con todo y ser un país muy rico, también tienen sus propios problemas y ya no quieren solucionar los problemas ajenos como antes. Vietnam fue muy buena escuela, así que dicen que no quieren entrometerse en la política agraria de México y que mejor ya no quieren recibir más braceros. Pero ni quien les haga caso; ni el gobierno, ni los aspirantes a bracero. Así que a lo que te truje, a cruzar la frontera, al cabo lo mismo da morirse de hambre, que morir asfixiado en un carro. Muerto es muerto y ya no siente.

Dicen que los ojos son el espejo del alma. Lo mismo pienso yo de las fronteras. ¿Has estado algún día en Tijuana, o en Juárez? ¿O en cualquier frontera? No me gusta el alma que reflejan, me pone triste. ¿Y a ti?

Lo peor de todo es que dicen que en esos lugares y explotando los bajos instintos de los gringos, entran a los municipios carretadas de dinero. Y las veces que me toca ir a esos lugares, ya hasta saludo a los baches, porque son los mismos y ya los conozco de hace tiempo.

Cuentan que cada prostituta tiene que caerse con su "feria" y diariamente; que cada dueño de burdel o cantina "se pone a mano" mensualmente. Y pregunto yo: ¿Con quién se caen y se ponen a mano?

Ese enigma no lo resuelve nadie; ¡ni mi compadre Chuy que es tan salsa!

Tampoco creo que sea justo dejar irse a esos compatriotas que sólo van a sufrir desprecios y humillaciones, aunque eso sí, a lo mejor con la panza llena. ¿Será porque he pasado pocas necesidades que soy tan orgulloso? ¡Quién sabe!

De lo que sí estoy seguro, es de que si no se pueden evitar la prostitución y el vicio en nuestras fronteras, sí podía al menos dársele un destino bueno a este dinero tan mal habido. Podría emplearse, no para beneficio de unos cuantos, sino de toda la colectividad. O qué ¿vamos a ser menos que el Padrino, que para disimular tenía sus negocios lícitos?

18

CARTA AL ENTONCES FUTURO PRESIDENTE

No la chiflen, que es cantada.

[INGENIO POPULAR]

CIUDADANO JOSE López Portillo

Futuro Presidente de México

Domicilio rete-conocido

México, D. F.

Respetado señor Presidente: (Lo llamo así, para que vaya acostumbrándose.)

Tenga usted la bondad de disculparme por no haber cumplido con el requisito de haber puesto la zona postal, pero como no sé a dónde le van a entregar esta carta, pues pensé que era mejor no ponerla, no vaya a ser que se confundan y no se la entreguen. Si viera como anda el correo; pero no es de eso que quiero hablarle.

Ante todo, trato de ser una persona franca y sincera, no como esa bola de lambiscones que ahora andan tan atentos con usted y que a lo mejor mañana van a ser los que inventen los tradicionales chistes, para burlarse de lo que hace. Por eso, por mi franqueza, debo advertirle que yo no votaré por usted; pero para que se consuele le diré que tampoco votaré por nadie, así que "no se vaya a sentir". Por si acaso le interesa saber por qué no voto, le diré que no lo hago porque en nuestro país no tiene caso votar. Ya verá usted que a pesar de lo que haga yo, y de lo que digan millones de mexicanos, de todos modos sale usted, así que no se preocupe mucho porque no voto y duerma tranquilo que serán pocos los días en que en lo sucesivo podrá hacerlo.

El que yo no vote, no significa que sea su enemigo político, ni su opositor, o comunista o agente de la CIA. Le ruego tomar muy en cuenta esto, por aquello de que alguno de sus colaboradores en un exceso de celo y amor por la patria, me tome por enemigo suyo y quiera darme una "calentadita" aunque no sea tiempo de fríos. ¡Por favor, Señor Presidente, dígales que no lo hagan!

Bueno, lo que quería decirle es que comprendo que el gobernar un país como el nuestro es un verdadero problema, porque los mexicanos somos medio raros. Por raro no vaya a entender otra cosa, pues todo el mundo sabe ya del machismo de los mexicanos, así que por favor tome eso en cuenta.

Como le decía, somos muy raros, ya que nos burlamos de muchas cosas, entre ellas de los presidentes; pero no hacemos nada por ayudarlos cuando, como ahora, sale uno que nos dice que las cosas andan mal y que tienen que cambiar. Me temo que si usted sigue con esa onda, tampoco le van a hacer caso. Yo sí, se lo prometo, porque es cierto. Tenemos que cambiar y mucho. Yo le sugeriría que empezara por los políticos. Por favor, Señor Presidente, ya nos aburrimos de ver las mismas caras y oír los mismos nombres y sufrir las mismas mañas. Para que vea que no son tan "desinteresados" y que no nomás buscan "servir a la patria", a ver como le hace, pero oblíguelos a hacer su declaración de bienes y los que tengan mucho ya, pues que además le hagan una "explicación de bienes" y verá la corredera que se arma.

Tampoco cambie a todos, pues sería un caos, como dice mi suegro; después de todo la gente honrada en su mayoría no tiene experiencia en gobernar y francamente yo no sé si eso es bueno o malo.

Sería bueno también que cuando tome posesión de la silla, si fuera posible, les dijera muy claro a todos los que van a trabajar con usted, ministros, oficiales mayores, burócratas y demás gente, que ahora sí se va a aplicar la ley de responsabilidades, pero de a de veras y no nomás a los carteros, sino a los gallones también.

A propósito de los carteros, Señor Presidente, ya que son los únicos empleados a los que se les ha aplicado esta ley, por favor exímalos de la misma en su sexenio y súbales el sueldo para que no tengan tentación. Es muy justo. ¿No cree usted?

Sé que es mucho pedirle y que aunque usted pensara como yo, pues a lo mejor no puede hacer nada. Lo comprendo porque a mí me pasa lo mismo en la casa donde yo soy una especie de presidente, pero el "compromiso sagrado" que tengo con mi mujer, me impide hacer lo que quisiera. Pero haga la lucha como yo, aunque sea de por no dejar ¿eh?

Por si acaso usted no se ha dado cuenta, también es necesario despertar la conciencia política de los mexicanos. No sé cómo irá a estar la cosa en sus elecciones, pero en

las pasadas con don Luis, se abstuvo de votar el 34% de la
población con derecho a voto y casi un 25% de votos tuvieron que anularse y yo no creo que el 25% de la gente
sea tan bruta como para no saber cómo llenar las papeletas.
Sume, señor Presidente y verá que más de la mitad de los
mexicanos con derecho a voto, o no lo hacen, o lo hacen mal
y eso significa descontento. No con usted, sino con usted
y los que lo apoyan.

Yo creo que sería mejor que diera usted facilidades para
la formación y desarrollo de nuevos y verdaderos partidos
políticos, a seguir frustrando los deseos de todos nosotros.
Pero por favor, no me malinterprete, yo no quiero formar
un partido o andar de alborotador; yo lo que quiero es
que para la próxima, tengamos verdadera oportunidad de
escoger y dar chance a otra gente de aprender a gobernar,
porque usted y yo sabemos que la constitución no ordena
pertenecer al PRI para hacerlo. ¿Verdad? Ahora que comprendo que esto tiene sus riesgos. Ya ve lo que pasó en
Nayarit.

Hay tantas cosas que quisiera pedirle, que si le siguiera,
tendría usted que cambiar quizá hasta de país, porque mire,
señor Presidente, yo no sé por qué o quién tiene la culpa,
pero los mexicanos nomás andamos fregándonos los unos a
los otros y eso no es sino corrupción moral.

Por si usted lo duda, le pondré algunos ejemplos a base
de preguntas:

¿Qué hacen la mayoría de los industriales con nosotros
los consumidores?

¿Los taxistas con el público?

¿Los mecánicos con los taxistas?

¿Los doctores con los mecánicos?

¿Los albañiles con los doctores?

¿Los acaparadores con los campesinos?

¿Los campesinos con los créditos oficiales?

¿Los burócratas con el público?

Y podría seguir, señor Presidente, para que usted se diera cuenta que la filosofía mexicana actual es "fregaos los unos a los otros", y eso ni está bien ni es justo. ¡Tenemos que acabar con eso!

Bueno, señor Presidente, le prometo no volver a distraerle de sus ocupaciones, ni siquiera para saludarlo; esa promesa se la hago porque aunque yo quisiera hacerlo algún día, desde el momento en que usted tome posesión y si no escoge bien a sus colaboradores, éstos no lo dejarán ver, ni oír, ni saber, nada que ellos no quieran, mucho menos me iban a permitir saludarlo.

Le desea suerte,

ROGACIANO

P.D. Perdóneme que insista pero no olvide lo de la Ley de Responsabilidades y lo de la declaración de bienes, y que nadie cobre por más de una chamba aunque trabaje en dos o tres comisiones. Acuérdese que, ¡HONESTOS TODOS!, y que el poco dinero que hay, debemos hacerlo rendir. También quiero decirle que siempre cambié de opinión y que en mi siguiente libro *Segunda parte de Soy puro... Mexicano*, incluiré una carta para Ud., porque a lo mejor ésta no se la entregaron, ya ve en qué edición va mi libro y no he recibido ni un acuse de recibo de ella. ¡Quien quita y la próxima tenga mejor suerte!

Otra vez ROGACIANO

19

LA LUCHA DE CLASES

> No hay peor lucha que la que no
> se hace.
>
> [Filosofía Mexicana]

Me decía Ruperto el otro día que la lucha de clases había sido y seguiría siendo inevitable; que sólo se pararía cuando ya no hubiera injusticias y se acabaran las desigualdades sociales y económicas; cuando todo el mundo tuviera qué comer y suficiente ropa y el mundo fuera una sola gran clase, con escuelas para estudiar sin que te sacaran cuotas con cualquier pretexto. En fin, ya me estaba gustando eso, cuando metió la pata; no de mala fe, sino yo creo para convencerme de una vez. Fue entonces cuando me preguntó:

—¿Tú eres católico, Rogaciano?

Y al contestarle yo que sí, prosiguió:

—Entonces crees en Jesucristo ¿no?

Y sin darme tiempo a contestar, que le sigue:

—Bueno, Rogaciano, si tú piensas que el comunismo es cosa del diablo estás equivocado, porque si te pones a pensar, Cristo era también comunista. El no quería que los ricos explotaran a los pobres. El era amigo de los pobres y de los que tenían "hambre y sed de justicia".

Al oír esto hasta se me enchinó el cuerpo.

—¿No será que Cristo fue mexicano? Porque piensa

igual que yo y pues la verdad para pensar como mexicano yo creo que hay que haber nacido en México. ¿O no?

Y así siguió Ruperto, dale y dale con sus argumentos: que si la justicia, que si la igualdad, que si los pobres, que si los ricos, que si la corrupción, que si el voto no se respeta.

Sólo logré callarlo cuando le pregunté que si en Rusia o en China hay elecciones.

Se vio que mi pregunta le llegó, porque hasta pálido se puso. Pero es muy hábil y quiso escurrirse:

—No, Rogaciano, allá no hay elecciones porque no son necesarias —y siguió—. Allí quien gobierna es el pueblo a través de gente seleccionada por el partido y que son los que lo representan.

—Pues entonces ¿para qué me friegas con tanta tontería, Ruperto? —le dije—. ¿Pues qué no te has dado cuenta que vivimos en un país comunista? Aquí también gobierna el pueblo a través de representantes elegidos por el partido, igualito que allá.

Ruperto es muy calmado generalmente, pero ese día, me dijo de leperadas: que si era un burro, un buey, un tal por cual, que muy merecido teníamos lo que nos pasa, y no sé qué tantas cosas más. Sólo se calló cuando vio que me le acercaba con intenciones no amigables. A lo mejor adivinó lo que le iba a pasar, porque yo me dije: "Si Cristo fue comunista, pues por eso lo crucificaron, contimás a este pendejo."

Pero lo que sea de cada quien, no soy tan menso, y sé que Ruperto en parte tiene razón. Mira, yo pertenezco a lo que se llama "clase media". Hay varias clases: la muy pero muy pobre, como los tarahumaras, o los lacandones, los zapotecas o los huicholes. Esos sí que no tienen pero ni siquiera un nombre cristiano, así de fregados están.

Luego vienen los campesinos pobres, pero no tan pobres como los indios que te platiqué. Estos campesinos son muchos y tienen más hijos que yo, así que cada día van siendo más y más. Esos son los que crean los problemas, porque son muchos, muchos. Algunos tienen tierritas, otros la tienen pero sólo en las uñas de los pies. De ahí nace el problema. Luego vienen los otros campesinos que tienen una poca de tierra, pero o la rentan o si la trabajan lo hacen como si fuera en el siglo pasado, a puro pulmón y con poco rendimiento. Estos también son retehartos y también parecen conejos.

Luego vienen los "desocupados", gente que no es campesina ya, pero tampoco saben hacer nada y que se viene a la ciudad para ver si encuentra trabajo. Como no lo hallan, pues se dedican a lo que sea: a vender, a robar, o a lo que caiga; el hambre es canija.

Después vienen los obreros, que también son muchos pero nunca como los anteriores. Estos sí tienen trabajo y ganan un sueldo; poco o mucho, pero lo ganan. Tienen su Seguro Social, el Infonavit, el Fonacot, y como muchos están organizados en sindicatos que son necesarios para armar ruido en las elecciones, pues el gobierno les tiene más consideraciones que a los otros.

Hasta aquí viene siendo lo que se llama "clases populares".

Luego estamos nosotros, los de la clase "media". Nos llaman así porque no estamos tan fregados, sino nada más medio-fregados, porque medio-comemos, medio-vestimos, medio nos divertimos; o sea, en español puro, "medio vivimos".

Pero como nos hemos agrupado en las ciudades, pues nos hemos mal acostumbrado a lujos como drenaje, agua, luz, transportes, etc., etc., olvidándonos de nuestros hermanos anteriores que están muriéndose de hambre. Por eso y porque esta clase, por ser empleados y obreros de cierta categoría tenemos que pagar a fuerza nuestros impuestos, aunque no queramos, el gobierno nos ha hecho el honor de encomendarnos que le ayudemos a resolver los problemas del campesinado.

Luego viene la clase "media alta", como quien dice tirando a riquillos. En esa se agrupan profesionistas, como los abogados, comerciantes, ejecutivos, empleados públicos de cierta categoría, políticos segundones, etc., etc. Nada más que como a éstos no han encontrado la forma de fiscalizarlos, pues a ellos les imponen la ayuda en forma de impuestos al lujo, a la gasolina, etc., etc. Lástima que por sacarles su parte, frieguen también a los que estamos abajo.

Allá mero arriba están los de la "alta". Viven en las mejores colonias, usan los mejores carros y educan a sus hijos en los mejores colegios. ¿Por quiénes está formada esa clase? Por empresarios, banqueros, políticos de cierto rango para arriba, industriales, etc., etc., quienes también pagan sus impuestos, sólo que acá es de "a como quiera el cliente", porque tienen muchos modos de disimular sus ingresos. La diferencia entre los de la "alta" en la iniciativa privada y los de la "alta" que son políticos, es una sola: los primeros nunca se jubilan por el ISSSTE o Hacienda, los segundos sí.

Creo que ya habrás podido darte cuenta del por qué nos aprietan tanto: por estar en medio. Si quieres salvar el pellejo, hazte para arriba si puedes, o húndete, si quieres, que ellos ya te están ayudando a hacerlo, pero no sigas ahí como un baboso: ¡en medio del aguacero!

20

EL RUMOR: ¿ARMA POLÍTICA?

> Botellita de Jerez, todo lo que me
> digas será al revés.
>
> [Lógica infantil usada entre el go-
> bierno y la empresa privada.]

A mí no me gusta el chisme, porque lo único que oca-
siona, son dificultades: al que lo inventa, al que lo cuenta y
al que lo escucha. Que si a Chuchita la bolsearon, y resulta
que Chuchita ni a bolsa llega. Que si tú, que si yo, que si él
me lo dijo, verdad de Dios. Que no seas hablador, que no
te dije nada. Que no le saques. Que no le saco. Que vámonos
para afuera. Que ¿para qué? Pos que para romperte la
madre. Que no me la rompes. Que sí te la rompo. Que si
con mi madre no te metas. Que no me meto, que sólo te la
voy a romper. En fin, puros líos.

Y ahora que hablamos de líos, para lío el que se me armó
con mi vieja por culpa del cacarizo Damián. ¿Pues no vino
este condenado y le despepitó todo lo de la güera? Y que
se me viene mi vieja encima, pero bien enchilada, y como
la vi con intenciones no muy católicas, mejor me fui, pues
como ya te conté no me gusta que me falten al respeto.

Y que salgo a buscar a Damián y que le digo: El hombre puede ser feo, horrible, horroroso, espantoso, inclusive
lilo, bueno, hasta cacarizo, pero jamás chismoso, desgracia-
do. Y ahí empezó él:

—Que no, Rogaciano, no es cierto, yo no dije nada.

—Cómo que no dijiste nada pinche güey, ¿entonces de dónde sacó mi vieja todo?

—Pos yo no sé, mano —me contestó.

—A mí no me manosees, cabrón.

—Pero si yo no te estoy manoseando, Rogaciano.

—Pos mejor no lo hagas, porque te doy.

—¿A poco eres muy sabroso?

—¿Sabroso yo?

Y antes que me dijera que sabroso el Orange Crush, que le doy un carajazo y el muy maricón que se echa a correr.

Todas estas intimidades te las estoy contando, porque en el aspecto político los mexicanos parecemos verduleras. Nomás andamos con chismes, no le hace que en vez de chismes les llamen rumores, para mí es lo mismo.

Nomás hay que ver qué importantes se sienten, llegan como ratones viejos, viendo para todos lados y luego le echan a uno la clásica preguntita:

—¿Ya sabes, mano?

Y uno, que nunca sabe nada, tiene que poner su cara de baboso, porque la curiosidad es mucha, y contestar:

—No mano, ¿qué pasa?

Vaya, hasta ya va pareciéndose a un rito, porque es el pan nuestro de cada día en todo el país. Por ejemplo:

—¿Ya sabes que a Zabludovsky lo corrieron para España?

—No, ¿por qué?

—Pues por el asunto del suegro.

Y así tiene que seguir uno:

—¿El suegro de quién?

—¿Qué dijo Zabludovsky?

—¿Quién lo expulsó?

Igualito que los chismes de vecindad, donde cada quien agrega, quita u olvida lo que quiere.

¿No sería mejor dejarnos de todo esto y hablar a lo pelón? ¿O dejar que los periódicos publiquen las cosas como son? Para mí el rumor es peligroso, contagioso, y hace más daño que una verdadera libertad de prensa. Bueno, de prensa, cine y televisión: que si nos gusta Isela Vega encuerada, pues que nos dejen verla. Que si al delegado se le cae la mano y no quiere verla, pues que no la vea y ya. Que si nos gusta Mannix, pues que nos dejen verlo, al fin y al cabo que el que quiera ver cosas como las del canal 13 y las del 11, pues que las vea. Al fin y al cabo que para todo habemos en México.

Y que si queremos saber lo que pasa en el gobierno, pues que los dejen publicar lo que pasa. Si no quieren que se publiquen las cosas indebidas, pues que no las hagan y ya. Entonces sí, si hay libertad y alguien publica un "chisme" —ya no rumor—, pues que le hagan lo que yo le hice a Damián y ni quien se ofenda.

Porque seguir como estamos todavía a cada rato con rumores de nuevas devaluaciones es criminal.

¿Por qué no se han dado cuenta de lo mal que "nos vimos" de septiembre a diciembre del 76? A lo macho que parecíamos un país de "viejas argüenderas" y "machos, pero no tanto".

¿Se acuerdan? Que si p'al quince hay golpe. Que estás güey, es p'al veinte. Que están locos que es p'al primero. Que van a congelar las cuentas bancarias. Que mejor compra dólares porque 'ora sí el peso se hunde y se va a 30. No hombre, se va a 100. Que no mandes a los niños a la escuela. Que compra toda el azúcar que puedas...

¡Ay México! ¿Dónde estaban esos "charros machotes" de las películas? Para mí que te los cambiaron por purititos maricones.

Pero si nosotros —el pueblo— nos vimos mal, peor se vieron "sus clases privilegiadas": que la gasolina no va a subir. Que son antipatriotas los rumores de devaluación. Que no se hagan que el peso no se devaluó, sino que técnicamente "está flotando" y esto es una medida que va a beneficiarnos (no dijeron a quienes). Que yo no deposité 500 millones en un banco gringo. Que a ver enséñenme el periódico donde dice eso. Que gobernaré hasta el último día de mi sexenio y para demostrarlo "ai está Sonora". Que Sada es un traidor porque sacó su dinero del país. Que no sean habladores, no es cierto, yo no saqué nada. Que a ver que publique el Banco de México la lista de los que sacaron dólares del país. Que no sean cabrones, que golpes bajos no, además publicar esta lista sería "políticamente inconveniente" por la situación que atraviesa el país. Que 'ora sí López Portillo va a enderezar la cosa... que...

¡Perdónenme cuates! No puedo seguir escribiendo:

¡VOY A VOMITAR!

21

LO QUE LA MAYORÍA DEL PUEBLO MEXICANO SABE DE POLÍTICA

> El que sabe, sabe, y el que no sabe, gobierna.
>
> [DESGRACIA MUNDIAL]

22

QUERIDOS SANTOS REYES

"No hay general que resista un cañonazo de diez o veinte millones."

[Frase célebre, mexicana y revolucionaria, pero adecuada a la "flotación".]

"PENA DE MUERTE A UN FUNCIONARIO RUSO QUE RECIBIÓ COHECHO: 10 AÑOS AL SOBORNADOR"

Y EN MÉXICO... ¿CUÁNDO?

23

EL RETORNO DE LOS BRUJOS (Parte I)

> ¡Con tanto satanizador, en México
> no necesitamos un presidente, sino un
> exorcista!
>
> OPINIÓN MÍA

¡AY MAMACITA, qué frío tengo! Y la verdad también algo de miedo; aunque el padre Nicolás dice que los brujos no existen pero yo tengo mis dudas.

¡Y mire usted si no es para dudar! Ayer, te contaba yo lo de la lucha de clases y mencionaba nuestro problema: el de la clase media. Y te contaba de eso pues porque es el único que conozco, porque desde que nací he vivido en ella, y aunque conozco a mucha gente pobre, la verdad nunca he vivido como

ellos, así que ¿cómo te voy a hablar de sus problemas? Eso
sólo lo sabría si fuera del gobierno. Aunque no sé cómo lo
saben ellos.

Ahora que tampoco soy de la "jay", ni he trabajado en
el gobierno, aunque una vez me llamaron para unas elecciones y también para los censos, pero me hice el enfermo
y no fui, al cabo no faltan mensos o acomedidos que sí van,
dizque porque es un deber cívico. ¡Cívico, sombrilla! Para
mí que son mensos, que con tal de ver qué se siente mandar
ahí van de ofrecidos.

Como siempre, me salí de la carretera, ya hasta parez-
co chofer de la Flecha, ésa que a cada rato tiene accidentes,
pero si soy así, ¿qué voy a hacer?

Te decía que aunque el padre Nicolás diga que no, yo
sí creo que hay brujos. Apenas ayer te platiqué los problemas que tenemos los "mediocres". Esta palabra viene de
dos, según me explicó Nacho, el de la tienda: de medio,
que quiere decir la mitad de algo y de ocre que es un color
o sea que somos la clase de medio color o sea que más bien
ni color damos, pues el ocre es un color muy débil. ¡Cómo
hay gente inteligente! A mí nunca se me hubiera ocurrido
eso de no dar color.

Volviendo a lo nuestro, pues eso que te decía fue ayer,
y hoy que me despiertan los periódicos con estas noticias:
La clase media debe movilizarse a la revolución: R.
Heroles. ¡Híjole! Qué susto me llevé, pues como todavía estaba medio dormido, no sabía si hablaba de la Revolución
antigüita o de una nueva. Me levanté como loco y grité:

—Ahora sí vieja, las cosas van a cambiar, háblale a mi
compadre, busca la pistola esa que hace años no encuentras,
dame un taco porque a lo mejor ya no va a haber comida,
no mandes a los niños a la escuela y méte los debajo de la
cama, no vaya a ser que les pase algo, y ya no te preocupes.

Mi pobre vieja me veía y nomás pelaba chicos ojotes.

En cuanto tuvo oportunidad me preguntó:

—¿Pos qué pasa, Rogaciano?

—¡La revolución, vieja, la revolución!

—¿Cuál revolución, Rogaciano?, esa ya fue hace muchos años. ¿Te sientes bien?

Verdad de Dios que me sentí mal, como si me hubiera bañado primero con agua hirviendo y luego con agua helada. Me puse los pantalones, porque todos los disfiguros anteriores los había hecho en calzoncillos. Y seguí leyendo.

—Urge contar con ella.

El apolitismo exasperante.

Riesgo de neofascismo.

Unidad con los trabajadores.

¡Brujo! ¡Brujo! Adivinó desde su trono y sin que yo se lo dijera. No cabe duda, esta gente será lo que sea pero no es taruga, y lo que sea de cada quién, yo creo que son brujos. ¿Tú no?

"Dijo (Reyes Heroles) que el problema político fundamental de la época, radica en determinar si las clases medias están resueltas a unirse a obreros y campesinos, para que garanticemos el desarrollo democrático, popular e independiente del país."

Como yo la veo, realmente a este señor no le interesa si queremos o no queremos ayudar, porque ya estamos ayudando a fuerza. Lo que creo yo que quiere decir es que lo hagamos con gusto y eso ya está más difícil.

"Organicemos a las clases medias nacionales, desterremos de ellas el espíritu individualista y convenzámoslas de que para obtener solidaridad hay que dar solidaridad, que el egoísmo aislante resulta contraproducente para quien lo practique."

Pues dando y dando, pajarito volando, usted que es el mero mero del Partidazo, dé facilidades para organizarnos, pero no en el PRI sino donde queramos, ¿no? Y sobre todo, escoja mejor a sus candidatos y si pierden, pues que se frieguen.

"La tarea es complicada y ardua, pero estamos obligados a efectuarla. Y a efectuarla bien, cabalmente. Si fracasamos en esta política exponemos al país a acciones contrarrevolucionarias".

Más mezcla, maistro. ¿O le arrimo los tabiques?

Ahora que yo pienso y seguiré pensando que mientras no se acabe con las mordidas, el tráfico de influencias, los abusos policíacos, y en general con la corrupción administrativa, pues seguiremos en peligro, porque va a llegar un momento en que la cosa explote. Y no soy brujo, pero la veo venir.

Después de desayunarme, me sentí mejor. Me fui a mi trabajo y al ver el smog, tanto carro y que el mío se calentaba, se me olvidaron los problemas políticos del país.

¿Con qué voy a pagar la letra de la tele?

¿Llegaré a tiempo al trabajo?

Ya subió el pan.

Ya no me alcanza el gasto.

¡Hombre! ¡Qué buena idea! ¡Dejemos de ser clase "media", mala y egoísta! !Volvámonos todos pobres! ¡Así seremos mejores y habrá quien se desviva por resolvernos nuestros problemas. ¡Brujo! ¡Brujo! No cabe duda que como dice mi mamá: ¡Soy rete-inteligente!

Bueno, no tanto, porque ¿por qué no se me ocurrió volvernos mejor todos ricos? ¡Así ya no habría problemas!

24

EL RETORNO DE LOS BRUJOS (Parte II)

A buena hambre, no hay mal PAN.

[COMERCIAL POLÍTICO]

CADA DÍA que pasa me convenzo más de que los brujos sí existen. Por mi madre que las cosas que he ido escribiendo, han sido escritas porque así las siento y porque es mi manera de verlas. Pero caray, no puede menos que arrugársele a uno del cuero —más que nada por falta de costumbre— al leer las cosas que hoy en día traen los periódicos:
"Enjuician al PRI los Priístas."
"Si la clase media ha gobernado. ¿Qué pasa con ella?"
Bueno, esa pregunta la puedo contestar yo sin ser brujo. Pues si la clase media ha gobernado, ¿para qué se hacen? Lo que pasa con ella, es que ya no sigue siendo clase media. ¡Ahora es clase rica! ¡Eso lo sabemos todos! Lo que hay que hacer, es evitar que la clase que gobierna pueda seguir enriqueciéndose; pero creo yo que entonces a mucha gente ya no le va a gustar trabajar en el gobierno y reconozco también que eso aumentaría el desempleo.
"Añadió que es tiempo de que el PRI acentúe la prédica." Aquí sí le falló; lo que hace falta es que predique, sí, pero con el ejemplo, como respetando el voto y el triunfo de los contrarios, porque si seguimos así al rato nadie va a ir a votar, tan sólo los "obligados". ¿O no?

"Y se pronunció por la elaboración de un programa de corresponsabilidad en los servicios públicos, desconcentración administrativa que permita acabar con el irritante trato burocrático que se da al público y, en suma, un cambio de imagen hacia los partidos políticos."

Es buen adivino, pero se quedó corto; eso de cambiar la imagen a un partido lo veo muy difícil, mejor que le hagan como yo sugerí. ¡Que lo cambien por otro! El actual está más desvalorizado que el peso argentino y más desprestigiado que Lola la Chata en sus mejores tiempos. Si lo hacen, pueden aprovechar el cambio para deshacerse de todo lo que no sirve, aunque se queden solos al principio, porque después "la gente de bien" que también tiene su corazoncito, pues le va a entrar al toro. ¡Deveras!

Ahora que si no les gusta mi idea por aquello de que sea "muy arriesgada", lo que sí debería haber hecho, era incluir en el tan mentado plan que elaboraron, la aplicación de la ley de responsabilidades, pero de "a devis" y pareja. También la declaración de bienes de funcionarios públicos y de sus familiares más cercanos. La eliminación de "dobles puestos y comisiones", o sea que nadie en la administración pública cobre por más de un trabajo y nada más que un sueldo y los "viáticos imprescindibles".

Que se acabe la reelección de diputados y senadores y ese ir y venir de un puesto público a otro y a otro. Si sirven en el que están, que se queden, si no sirven, que se metan a trabajar en la empresa privada para ver si así la acaban más pronto.

Que se incluya también en el plan, el que las declaraciones de impuestos sean públicas, no más para asegurarnos no sólo de lo que ganamos sino también de que pagamos nuestros impuestos. Por "el que sean públicos" quiero decir que se dejen que se publiquen en los periódicos.

Si además le agregan el respeto al voto, el respeto a las garantías individuales y el respeto al derecho de opinar en contra y reunirse sin que le cuchileen a los halcones, verdad buena que a lo mejor me inscribo en el PRI, aunque no le cambien de nombre, y a lo mejor hasta voto, no sé si por ellos o por quién. Eso no lo puedo decir porque no hay que olvidar que el voto es secreto.

Mientras eso sucede, y como en México por lo menos la mitad de la población tiene hambre, también pueden usar para su plan esta idea mía: Vamos a poner a dieta a todos los gordos y lo que ellos dejen de comer, se los damos a los que tienen hambre. Así mataremos dos pájaros de una pedrada: Cuidamos la salud de los gordos y alimentamos a los hambrientos. ¿No les parece?

25

EL CHISTE POLÍTICO

¡No es cierto! ¡La piedra le salió
de la cabeza!

[DISCULPA ESTUDIANTIL]

ANOCHE AGARRÉ un "cuete" espantoso en la cantina del colorado Ramiro. No me acuerdo ni siquiera de a cómo nos tocó la coperacha, pero debe haber sido algo, porque hoy casi no me alcanza para dar el gasto. Pero ya mi vieja está preparándome unos chilaquiles bien picosos y ya tengo dos cervezas bien heladas para curarme la "cruz" como manda la Santa Iglesia.

Yo no iba con ganas de tomar, aunque no niego que me gusta, pero últimamente el hígado me ha estado dando problemas. Lo que pasa es que empiezan los amigos, que si uno es "mandado" de la vieja, que si maricón y no sé cuántas cosas más; así es que hay que entrarle como los machos. Además, a la mayoría de nosotros nos gusta el refino, para qué negarlo. Dicen que tenemos un cuarto lugar mundial en alcoholismo, o el quinto, no sé bien; pero andamos entre los grandes y yo creo que no debemos pararle hasta ocupar el primero. No hay que andarse con medias tasas. O campeones mundiales o nada. Al menos este campeonato está más fácil de ganar que el de futbol o tenis o cualquier otro deporte. Ya hasta tengo pensado el lema: "A inflar, a inflar, que el trabajo es comenzar." En fin, por lo pronto lo que más quisiera que se me quitaran son la sed y el dolor de cabeza. Pero ya aprendí: hay que tomar nomás hasta caerse, lo demás es vicio.

Todo empezó cuando llegaron Ruperto y dos amigos más que dijeron ser de una liga, con un nombre de calendario, 24 de octubre o algo así. Estábamos mi compadre Chuy, Juan, mi cuñado, yo y otros cuates. Juntamos tres mesas y que empezamos a tomar y a contar chistes. Primero fueron de Pepito, de esos que a mí no me gustan porque pienso que los niños deben respetar a sus mayores. Luego de los telones, que sí me gustan.

Le seguimos con los de santos, como ese de que cuál es el santo de los niños: Santiago... y otros más.

Luego sucedió lo que tenía que suceder. Algo que es inevitable para el mexicano: vinieron los chistes políticos.

Ruperto nos explicó que no fuéramos tarugos, que la aparente libertad de que disfrutamos, a través de estos chistes, son simplemente artimañas del gobierno para que el mexicano desahogue sus amarguras y dolores políticos; que inclusive hay gente que vive dentro del erario que está dedicada exclusivamente a inventar estos cuentos y a difundirlos. Algo así como los bufones de los reyes de la antigüedad. Esto —dice Ruperto—, también lo hicieron los romanos con su famoso pan y circo —y cuando vio que ya lo iba a contradecir me preguntó: ¿Qué no ves que todavía hay cines de a dos cincuenta? Y la verdad no supe qué responderle. Ay, cómo me gustaría saber de política para taparle la boca, porque es cierto, uno puede ir al cine con dos pesos y eso no alcanza ni para un kilo de tortillas. Por eso aquí tenemos puro circo, y nada de pan o tortillas. Pero algo es algo, peor es nada, pienso yo.

Los amigos de Ruperto nos explicaron que un individuo riéndose no puede pelear, que por eso al gobierno le convienen los chistes políticos, no le hace que vivamos riéndonos de ellos, que al cabo ellos riéndose, también viven de nosotros.

A esas alturas ya empezaba a sentirme mareado, por eso no te cuento ninguno de los que contaron del actual Presidente. Que quede bien claro que no es por miedo, sino por puritita precaución; no faltaba más.

¿Sabes lo que más me preocupa de todo esto? Algo que me corroe las entrañas y que quisiera vomitar, para ver si me alivio, porque verdad de Dios que ya no lo aguanto aquí en mi cabeza. Mira, tú y yo podremos ser simpatizadores, o tibios, o indiferentes, o hasta contrarios, a lo que dice el actual Presidente, pero ¿te has hecho estas preguntas?

¿Qué clase de gente vivimos en este país, que cuando su Presidente pide a los burócratas trabajar y de buena gana, éstos no le hacen caso?

¿Que cuando pide honestidad en el manejo de la administración pública, los funcionarios hagan lo que el sapo y digan: ¡Qué friega le acomodaron a la empresa privada y a la clase media!?

¿Que cuando trata de enfrentarnos a nuestra realidad: corrupción, miseria, indolencia política, abusos de autoridades y empresarios, hambre de nuestros hermanos campesinos, etc., etc., empezamos nuevamente con chistecitos pendejos?

Mira, yo podré no estar de acuerdo en la forma que lo eligieron, ni me guste que sea "de la gran familia revolucionaria", pero me suena sensato mucho de lo que dice; aunque no me guste mucho de lo que hacen, siguen y seguirán haciendo sus colaboradores, y tampoco algunas cosas de las que él hace. Pero por mi madre, no pienso que sea tonto. Los tarugos son otros, los que le ayudan a gobernar y no le hacen caso, porque para que lo sepas, haya dicho lo que haya dicho, el sapo del cuento no fue a la fiesta del león. Así les pasará a ellos, cuando tú y yo y todas las conciencias olvidadas nos presentemos a votar contra ellos. ¡Verdad de Dios!

26

EL SUEÑO IMPOSIBLE

> Soñé que el PRI había perdido las
> elecciones...
>
> JALADA DE MI INCONSCIENTE

¡AY MAMACITA chula! Estas no son pesadillas, son como dice Mamerto, el esposo de mi tía Concha: "Elucubraciones del incógnito inconsciente." Bien, bien, no sé qué quiere decir, pero sí entiendo que son como jaladas de la mente, pero a lo bestia.

¿Cómo crees que me siento? Del puritito cocol. Todos estos días que he estado platicando contigo, me la he pasado quejándome del PRI y del gobierno, pero después de lo que soñé... pues que Dios me perdone, pero ya no estoy muy seguro de lo que digo.

Figúrate que yo estaba en una casilla como presidente. Era época de elecciones y en esas elecciones iba jugando para Presidente un tal Machorro del PRI, PARM, PPS (como de costumbre) y un tal Félix Romero del partido que subió de precio: el PAN.

No me acuerdo bien de cómo fue la cosa, pero el caso es que todo el mundo se presentó a votar; bueno hasta los muertos que el PRI incluye en las listas, se presentaron. Por cierto que platiqué con algunos que eran mis amigos y me dijeron que la cosa allá tampoco estaba muy bien, que había mucha gente y que ya estaba empezando a notarse la contaminación; que la inflación también era un problema y que el gobierno había sido el mismo desde hacía muchos años porque allá ni elecciones había; que por eso se habían venido para acá, para ayudarnos un poco.

La votación se llevó a cabo con mucho orden y sin problemas. Todo el mundo pensábamos que serían unas elecciones como tantas que hemos tenido hasta la fecha, pero no fue así.

La cosa empezó a preocupar a los jerarcas, cuando los del partido empezaron a reportar una mayoría absoluta para el PAN. Fue entonces cuando ordenaron a sus grupos que robaran las urnas donde habían perdido, pero la orden no pudo cumplirse. ¡Habían perdido en todas! ¡Ni modo de robárselas todas! Entonces le buscaron otra solución: anular las boletas cruzadas a favor del partido opositor, pero ¿dónde hacerlo físicamente? ¿Cómo, cuándo y dónde anular 20 millones de votos?

No estoy muy seguro de cómo estuvo la cosa, pero el PRI tuvo que reconocer que había perdido las elecciones.

El nuevo presidente hizo declaraciones inmediatamente: "Debemos tranquilizar a todo el sector público, en el sentido de que quien haya cumplido con su deber y no haya cometido actos ilícitos, no debe temer nada. El nuevo gobierno sólo enjuiciará a los que han abusado en una forma u otra.

¡Al día siguiente, nadie se presentó a trabajar en las oficinas públicas de toda la nación! La solicitud de pasajes por aire, tierra y mar, excedió por mucho a la capacidad de los medios de transporte. El todavía Presidente hizo un llamado a las grandes potencias, para que establecieran un puente aéreo, pero éstas se negaron.

La fuga de capitales fue de película. En dos días se agotaron los dólares, billetes, cheques de viajero y giros. No se podía entrar a los bancos; las colas eran de kilómetros de gente desesperada que con lágrimas en los ojos se preguntaba: ¿Y ahora, qué voy a hacer, si no sé hacer nada?

Los servicios asistenciales del ISSSTE, IMSS, Salubridad y Cruz Roja, se declararon incompetentes para atender tanto enfermo de los nervios.

La Embajada Americana se vio materialmente asaltada y la policía y el ejército tuvieron que intervenir. La Embajada China recibió una solicitud de asilo, la Soviética catorce y la Cubana dieciséis.

Las televisiones y estaciones de radio trataron de hacer controles remotos para llevar información, pero la gente deambulaba por las calles como zombies y no lograban articular más de dos frases seguidas.

Los periódicos —una vez confirmado el triunfo— lanzaban extras con encabezados como éste: "Triunfó la Democracia."

Al fin: ¡RIP al PRI!

El todavía Presidente se dirigió a la nación para exhortarla a la calma, pero nadie le hizo caso.

Empezaron a llegar comisiones de campesinos, obreros y empleados, a la casa del nuevo Presidente, sólo que éste se negó a recibirlos, pretextando no querer intervenir todavía en la vida nacional, para dejar al Presidente en funciones gobernar hasta el último día. Ante actitud tan insólita, los rechazados se unieron a los grupos de zombies que deambulaban por la ciudad.

El desempleo aumentó en dos millones de desocupados: los empleados públicos renunciantes. Esta fuerza de trabajo, sin especialización alguna y sin el hábito del trabajo, empezó a organizar mítines y manifestaciones, exigiendo fuero —como los diputados— para todos los empleados públicos.

El Infonavit, al frente del cual se encontraba un traidor al PRI, suspendió la construcción de casas y empezó a construir cárceles en todo el país. El funcionario previsor pero "Hijo de Santana", fue cesado en sus funciones.

Finalmente, al paralizarse la vida nacional, el descontento fue aumentando; el pueblo empezó a amotinarse, a exigir que se anularan las elecciones, pues quien más quien menos tenía un familiar o amigo en peligro de ir a la cárcel.

La presión popular fue en aumento y las cámaras se reunieron para discutir.

Todavía deben estar discutiendo, porque fue en ese momento que desperté, con la boca seca, el pulso en 180 y una cruda de película.

La verdad, la verdad, ahora ya no estoy tan seguro. ¿Qué pasaría si perdiera el PRI?

¡A la mejor, nos va peor! ¿O no?

27

BLANCANIEVES Y LOS SIETE ENANOS

Maldito Gobierno #"%&/—*—'
[LAMENTO NACIONAL]

A MÍ DE chiquito, el cuento que más me gustaba era ese de Blancanieves, pero pues a medida que uno va creciendo, le van cambiando los gustos y la verdad que últimamente, con las elecciones ya próximas, pues hasta tirria le he agarrado al cuento ese.

¿Será por los 7 tapados?

O ¿será porque este mismo cuento nos lo han venido contando elecciones tras elecciones y lo único que ha variado es el número de enanitos, según del sexenio de que se trate?

Pero hablando con sinceridad, yo soy el menos indicado para opinar de estos cuentos; imagínese si seré tan bruto que pensé que el autor de Blancanieves y los 7 enanos era Walt Disney. Ahora resulta que el cuento éste lo copiaron de un europeo y lo aplicaron a la realidad nacional. Como siempre, si lo digo yo, por adaptaciones en México no se sufre. Por lo que se sufre es por quienes hacen estas adaptaciones en provecho propio, para seguir adapte y adapte hasta que se mueran y, de ser posible, dejar a los juniors para que empiece todo otra vez. ¿Hasta cuándo?

¡Hasta que surja uno que tenga las chaparreras bien puestas y se entregue de lleno a la causa del pueblo, sin miedo y sin entreguismos!

¿Qué dónde está esta maravilla?

No vayas a reírte de mí: en el mismo gobierno. Acuérdate de que "para que la cuña apriete, ha de ser del mismo palo".

Sigo pensando —o soñando— con que algún día, un ex-presidente o ex-ministro, que por haber ya terminado su carrera política o por conocer de a deveras la realidad nacional, encabece un partido político de oposición y le haga frente a sus ex-contlapaches.

Ese hombre, para mí, quedará automáticamente limpio de pecado y demostrará ser todo un hombre, porque no me vengas a decir que quien habiendo hecho una carrera pública hasta culminar en la Presidencia, o en una Secretaría de Estado, no es un hombre cabal al enfrentarse con los ex-compañeros, arriesgando fortuna, honores, tranquilidad, libertad y hasta la vida.

¿Quién dijo yo?

28

NOCHES DE RONDA

¡Dos y dos son cuatro, cuatro y dos son seis, seis y dos son ocho y ocho dieciséis...!

[Patrullero contando "el pan nues-tro de cada día" al entregar el turno.]

ME PARECE que no les he platicado nada de Cirilo, el que tiene dos bodegas de fruta en la Merced. Este Cirilo es cosa seria, un mexicano cien por ciento, en lo físico y en lo moral.

Chaparro, ventrudo y feo, pero tiene su casa, su casa chica y tres sucursales. A éste, Rodolfo Valentino le viene guango, pues como "el comercio deja", le sobran ofertas de todas clases. A mí, la mera verdad me da envidia verlo todo el día "fajando" como buen "latin lover", mientras que a mí, ni las moscas. Pero me consuelo repitiéndome todo el día aquéllo de "¡Vámonos haciendo menos machos y más hombres!", pero pues eso me consuela sólo mientras no veo un buen forro, porque cuando veo un buen par de piernas, de lo que más ganas tengo es de ser macho y echarle un brinco a la polla. Ni más ni menos que como lo hacen los gallones, sean industriales o políticos o ya de perdida "burócratas de cierta categoría". (Esta clasificación quiere decir que ya le entran al "reparto de utilidades".-

En lo que todavía es más mexicano Cirilo, es en su manera de pensar. Para él estamos "a todo dar", no hay nada de malo en el país; pues según dice —porque ha viajado— "como México no hay dos". El no tiene problemas, según platica; de vez en cuando que los tiene, pues los arregla, da sus centavos y ya, automáticamente se convierte de un delincuente en honrado ciudadano. Y se ufana de ello, eso es lo que más me da coraje. "Mira, Rogaciano, en este país sólo los tarugos sufren" —dice muy ufano.

Yo debo de ser muy tarugo, porque sufro mucho. No sé de dónde me salen estos impulsos, pero los tengo. Hasta tengo mis teorías para explicar por qué los mexicanos somos tan dados a pagar mordidas.

Mira, yo creo que los mexicanos que no vivimos del erario y por lo tanto no tenemos relaciones, a través de los años hemos visto que las leyes en México sólo se aplican a los tarugos o a los pobres, o más bien, a los pobres tarugos. Sabemos que cualquier hijo de vecino con dinero o con influencias, hace lo que quiere y no le pasa nada; así que quieras o no, primero les tienes muina y al final acabas envidiándolos, de tal suerte que cuando tienes la oportunidad de "comprar un poco de influencia", pues lo haces, total ¿qué son cincuenta o cien pesos por sentir por un momento lo que sienten estos hijos de la gran Revolución a cada rato?

Bien vale la pena —creo yo que piensan mis paisanos— pagar porque en una oficina pública te sonrían y te atiendan, en lugar de ponerte sus carotas y tirarte de a loco.

Sin embargo, yo no pienso así y por eso me meto en líos. Porque aquí en México al que no paga mordida, se le aplican las leyes en todo su rigor, pero al que la paga, se le "ayuda" a que la misma ley no sea tan "rigurosa" y esto pasa, aunque los procuradores digan a cada rato que no hay corrupción de la justicia y que México es un país de libertades. ¿A poco van a ser tan brutos de echarse tierra ellos mismos?

Pero no les pregunten a ellos, pregúntenos a nosotros y verán que el México nuestro es diferente del que ellos viven.

La otra noche, al salir de la oficina donde trabajo, me subí a mi carro para irme a mi casa pues quería ir al cine. Mi vieja me estaba esperando porque teníamos ganas de ver la película esa que se llama Tívoli y que después de verla me gustó, porque tiene algo de crítica hacia los gobernantes. Pero una crítica "así de chiquita" que es como querer comparar una gota de agua con el mar. En fin, yo creo que si la crítica fue "así de chiquitita", fue porque "así de chiquitita" debe ser la libertad de expresión en este país y no porque al director no le hayan dado ganas de criticar en grande.

En fin, esto no viene al caso y como les contaba, iba yo para mi casa, cuando en una de las calles por donde me fui, salió un peatón corriendo y vino a estrellarse contra mi carro, a la altura de la portezuela izquierda. Todo sucedió tan de repente que yo lo único que recuerdo es haber visto el bulto y sentido el golpe cuando el fulano se estrelló en mi carcacha.

Y como buen pentonto que soy —según dice Cirilo—, me paré pasando la esquina, preocupado por el lesionado y por mí, que ya sé cómo son estas cosas.

No bien había acabado de estacionar el carro, llegó una patrulla. Se bajó el que venía manejando y me urgió:

—¡Súbase, súbase rápido!

—¿Para qué? —pregunté yo.

—¡Usted súbase, que vamos a ayudarlo!

¡Caramba! —me dije a mí mismo, y yo que tenía otra opinión de la policía. Estos justos guardianes de la ley se

han dado cuenta de que yo no tuve la culpa y por eso
quieren ayudarme.

Sin embargo, no quise subirme a la patrulla y les ex-
pliqué mis razones:

—No, primero hay que atender al señor que está tirado
ahí a media calle y luego quiero cerrar mi carro —contesté
en tono firme.

Como para entonces ya se estaba juntando la gente, me
pidieron la licencia, tarjeta de circulación y las llaves de
mi carro y me subieron a la patrulla, la estacionaron atrás
del lesionado para que no lo fueran a atropellar.

Mientras me metía a la patrulla, el otro agente me se-
guía repitiendo que iban a ayudarme.

Todavía no sé qué habré dicho para ofenderlos, pues
casi ni hablé, pero la realidad es que después de haberme
llevado a una delegación equivocada primero y decirme
antes de entrar a la que sí era, que ellos declararían que
habían visto cómo el peatón se estrelló en mi carro, de
pronto, se miraron el uno al otro después de que les dije:
¡Muchas gracias! y se soltaron con que si yo me creía muy
listo, y que si pensaba que iba a arreglarlo fácil, que me
jodiera.

Llegaron, me entregaron y se fueron. Cuando iban sa-
liendo les pregunté:

—¿No que iban a declarar que habían visto el acci-
dente?

Lo que me contestaron ni lo entendí, pero sí sé que se
fueron como almas que lleva el diablo, y yo sigo pensando:
¿En qué los habré ofendido?

¿Quieres saber en qué acabó todo?

Pues me pasé la noche en la delegación, hasta que se
juntaron los cuatro mil pesos de fianza, para que me dejaran salir.

Ahora el caso está en manos de mi hermano, un apóstol "de la mordida", quien me asegura que "no va a pasar nada", pero que tenemos que "ponernos a mano" y la verdad, pues voy a dar el dinero.

¿Y mis principios? ¡Al diablo con mis principios!

¡En México, sólo los tarugos los respetan, como dice Cirilo!

29

S.O.S. ¡MÉXICO! S.O.S.

A mí, las calaveras ¡nomás me pelan los dientes!

[Influyentazo en cualquier delegación de policía...]

DERECHO, mis cuates, si gobernantes y borregos, perdón, quise decir gobernados, no nos damos cuenta o más bien, no queremos darnos cuenta de la corrupción moral, social y económica que nos envuelve, tarde o temprano las cosas tenderán a un cambio violento. Porque pedirle al pobre que siga viviendo con su hambre eterna y de cada día; pedirle a la clase media que siga soportando abusos y latrocinios de comerciantes, industriales y políticos, es mucho pedir; y si a esto le agregamos la "Burrocracia" que pesa sobre sus hombros, la neta que no aguanta y mucho menos administrada por vía auditiva y acompañada de purititos discursos huecos y demagógicos como acostumbran suministrárnosla.

Quiero dejar constancia, pues, de mi preocupación por el cáncer que nos está corroyendo; abran bien los ojos y las "de escuchar", que aquí les va un grito, desesperado, pero sincero:

   ¡Mexicanos!
        ¡La Corrupción
            nos
              sigue
                ahogan...glub...
                   glub...
                   glub...
                   glub...

30

¡QUE NO CUNDA EL PÁNICO!

Si quieren saber quién soy, pregúntenselo a Cupido, yo soy el muchacho alegre, del cielo favorecido.

[Incógnita sexenal que ya se está volviendo fastidiosa.]

A PROPÓSITO he dejado este capítulo para el final. Miren, si se preocupan por tanto mierdero que hay en nuestro país, pues pronto va a acabarse. ¿Que no?

Le voy a hacer al mago y les diré que para a más tardar en el año 2010, nuestros problemas se resolverán de un modo u otro. Sí, señor. ¡Dentro de treinta y tres años a lo mucho!

¿Qué cómo? ¡Eso no lo sé! Lo que sí sé es que "No hay mal que dure cien años, ni cuerpo que lo resista."

Nuestra Revolución empezó en 1910. ¡Saca tus cuentas!

31

¡QUÉ LINDO ES SOÑAR DESPIERTO!

No hay PRI que dure cien años, ni
pueblo que lo resista.

[Refrán popular ligeramente modi-
ficado.]

¡DE PLANO que no entiendo! ¡Debo ser marciano o francés
o qué sé yo, pero mexicano pos nomás no! Por ahí dicen
que para entender bien la política mexicana, hay que ser
mexicano y ya te habrás dado cuenta que yo no la entiendo.
También me dijo Juan mi cuñado que un buen mexicano
debe querer mucho a México y como yo no estuve de acuerdo,
ahora ni me habla.

Mira, yo pienso que para querer algo o alguien, hay que
fijarse en los hechos, no en las palabras. Por ejemplo, no
entiendo cómo un huichol, medio muerto de hambre, quiera
o deba querer a México, entendiendo por México —claro está— a nuestra tierra y sus habitantes. Que quiera la tierra
pasa, pero que nos quiera a nosotros, no lo creo. Ni creo tampoco que debamos obligarlo. El cariño nace, no se hace. ¿No
te parece?

Que el colorado Ramiro —el de la cantina— quiera
mucho a México, lo comprendo. Por cien pesos a la semana,
puede adulterar, mezclar y hacer barbaridades con las bebidas. Tiene dos viejas, carro del año y es compadre del
diputado de su distrito, el que por "pura amistad" le arre-

gló el lío en que se metió cuando le dio de balazos a Sebastián, el velador de la fábrica, nomás por "puntada de borracho".

No comprendo cómo Frumencio, el albañil, pueda querer a México si nunca está en su juicio y la mitad de su vida está en el bote. Afuera, Domitila —su mujer— y los siete chavos chillando de hambre y muriéndose un poco cada día. ¿Cómo exigirles que lo quieran?

Que el profesor Tovar, el director de la primaria, quiera a México, lo acepto. Tiene dos chambas aparte de la dirección. Sería un gran torero a mi juicio, pues domina el pase "de la firma" a la perfección. Además con las "cuotas especiales" para santos y mil cosas más, ya hasta le compró carro a su hijo mayor.

Que Teodoro Flores, huérfano, tísico y ratero deba querer a México, no lo creo. Desde muy niño lo único que ha conocido es el sufrimiento, el hambre y los golpes, el frío y las enfermedades. Ora, ya de grande, conoce los calabozos del Servicio Secreto y de la Procu, donde le quitan el frío a base de calentadas. Conoce también a los "cumplidos agentes" que lo obligan a robar para darles su mochada.

Que los líderes sindicales y cuadros de dirigentes del PRI quieran a México, junto con los burócratas, los políticos y gobernantes, lo entiendo muy bien. Serían unos ingratos e hijos de la gran flauta si no lo quisieran, si tienen dos o tres chambas, comisiones, viáticos, gastos de representación y "participación de utilidades", tiendas baratas, mercado en su casa y no pagan impuesto. Claro que esto último no es privilegio para todos, nomás para los "cuates".

En fin, podría seguirle hasta cansarte pero no lo creo justo. Por lo que a mí toca, ¿seré un traidor e hijo de la guayaba?

No lo creo, yo sí quiero a México, a mi tierra y a la mayoría de la gente, pero eso sí, no a todos. A los políticos

—poderosos y soberbios— que me insultan por ser de la clase media, no los quiero.

A los gobernantes que me quitan mi dinero —honradamente ganado— para "dique administrarlo" y derrocharlo en empresas subsidiadas, y para mantener "aviadores" y comisionados, no los quiero.

A los partidos políticos que piensan que soy tonto y miedoso y por eso uno gana y otros pierden, no los quiero; por eso, por tonto y coyón.

A los policías de tránsito y de los otros, por sinvergüenzas, no los quiero.

Y ya Chole con tanta lloradera, ¿por qué lloro como mujer de lo que no sé defender como hombre? ¿No te parece?

Bueno, tiene razón Ruperto: somos unos mensos y berijones, pero como dice ese tango que me gusta mucho: Si soy así, ¿qué voy a hacer?, la la la, la, la, la, la, la.

¿Que por qué hablo tanta paja? pues porque soy mexicano y aquí todos nos la pasamos en eso, hablando paja pero chupe y chupe. ¿Que si no me gusta? ¿Me gusta qué? ¿El chupe? ¡Me encanta! Lo otro, no. La verdad yo quisiera ser buen ciudadano, pagar mis impuestos con gusto, no tener tantos hijos, votar en todas las elecciones, no emborracharme ni pegarle a mi mujer, ser buen mexicano y, sobre todo, querer mucho a México, a TODO MI MEXICO. Pero la verdad, estoy como solterona de pueblo: vieja, fea y exigente; porque para querer así a mi México sería necesario que:

El PRI fuera no el partido del gobierno, sino de verdad el partido del pueblo, y así no me importaría que ganara siempre. Aunque les confieso que aún así, me gustaría que se cambiara el nombre.

Que nuestros gobernantes no se enriquecieran como hasta ahora.

Que hubiera verdadera libertad de prensa y no periodistas "complacientes" y en las nóminas de las Secretarías de Estado.

Que aplicaran la ley de responsabilidades a los funcionarios ladrones y a cualquier nivel.

Que se acabaran los sindicatos blancos.

Que desapareciera la mordida.

Que no hubiera "cuerpos de choque", ni policías ilegales.

Que los estudiantes estudiaran y que metieran al bote a todos los porros, terroristas y zánganos que tienen asustados tanto a las autoridades estudiantiles como a los estudiantes.

Que se acabara el "multichambismo" y la "aviación" y las cuentas de gastos secretos y las "comisiones" en todas las oficinas públicas.

Que nos atendieran bien y con cortesía en las oficinas públicas, ISSSTE, IMSS y demás yerbas.

Que los burócratas trabajaran.

Que los empresarios fueran más humanos y los obreros más responsables.

Que dejáramos de tener tantos hijos.

Que los funcionarios públicos que "ya tuvieron bastante", dejaran de hacerle la competencia a la iniciativa privada, compre y compre edificios y negocios.

Que la iniciativa privada dejara de comprar a los funcionarios públicos para seguir chupando la sangre de obreros y pueblo en general.

Que no fuéramos tan machos, ni tan borrachos.

Que para ocupar un cargo público, donde se tenga acceso al dinero, fuera obligatoria y pública la declaración de bienes.

Que todos pagáramos nuestros impuestos pero al derecho y de a como nos toca; así tendríamos más dinero para subirles el sueldo a los que sí trabajan.

Que cambiaran ya los nombres y las caras en las Cámaras de Senadores y Diputados.

Que nos educaran, políticamente hablando, y se respetara nuestro voto.

Que respetáramos a nuestras madres y a las madres de todos los demás.

Que fuéramos menos vivos y más inteligentes.

Que fuéramos más respetuosos y menos agresivos.

Que todos fuéramos más responsables.

Que las empresas descentralizadas produjeran utilidades, y que las pérdidas disfrazadas de subsidios se las rebajaran del sueldo a los directores.

Que a la leche no la bautizaran.

Que se educara a los campesinos.

Que se les enseñara a mantenerse.

Que no hubiera Marías.

Y mejor le paro, porque si no, no acabo nunca, pero eso sí, si este sueño se hiciera realidad no habría mexicano más mexicano que yo. ¡Ese sí sería mi México lindo y querido! ¡Verdad de Dios!

EPÍLOGO

Se acabó el problema de las marías,
¡ya están todas de policías!

PROBLEMA SOLUCIONADO

UNA CONFESIÓN ÍNTIMA...

ME DA mucha vergüenza, pero te he ocultado algo muy importante.

Cuando se me ocurrió eso de escribir mis tonterías, pues la verdad es que no tenía valor para hacerlo.

Porque no importa lo que digan, en nuestro país, dependen más las libertades de las personales interpretaciones de los funcionarios que de lo que diga la Constitución.

Ya pueden decir el Presidente, o sus Ministros lo que quieran; y pueden no sólo decirlo, sino hasta sentirlo, en México cualquier caciquillo, cualqier jefe, cualquier presidente municipal, cualquier gobernador o, en general, cualquier funcionario con poder, puede encarcelar, torturar y hasta matar a alguien. Ni siquiera es necesario que esto lo haga la policía, con tantas y tantas policías "extra-oficiales" que tenemos.

Debido a eso, el mexicano común tiene miedo de "meterse en política". Y aunque se metiera —a pesar del miedo— basta ver la impunidad de que gozan "los malos funcionarios", como les llama el Presidente, para que se le quiten las ganas de hacerlo. Y aún el mismo Presidente tampoco puede hacer más que alentarnos a despertar. No se nos olvide que los que nos gobiernan son miembros "de la gran familia revolucionaria" y acuérdense de lo mucho que el mexicano quiere y respeta a sus familiares, sean lo que sean. Lástima grande que este respeto sea sólo para los de la familia, y no se haga extensivo a todas las familias de todos los mexicanos.

Por eso, por miedo: ESCRIBI ESTE LIBRO, ESTANDO BORRACHO.

Así puedo decir que no sabía lo que decía, aunque claro, si me quieren joder, pues me van a contestar que: LOS NI-ÑOS Y LOS BORRACHOS SIEMPRE DICEN LA VERDAD.

DESPEDIDA

Ya me voy,
"ai" los dejo.
¡Que viva el más vivo,
a costillas del pendejo!

ÍNDICE

Epílogo

TALLERES DE B. COSTA-AMIC EDITOR
Terminóse el día 30 de enero de 1978
Edición de 3 000 ejemplares